Op reis rond de wereld
en op Rottumerplaat

Godfried
BOMANS

*Op reis rond de wereld en
op Rottumerplaat*

MCMLXXII
Elsevier / Amsterdam - Brussel

Omslagontwerp Stefan Mesker

© *MCMLXXII Elsevier Nederland N.V., Amsterdam/Brussel*
D/MCMLXXII/0199/139   *ISBN 90 10 01079 1*

Inhoud

DAGBOEK VAN ROTTUMERPLAAT

Langs een nieuwe route naar het Verre Oosten

In november 1958 maakte Godfried Bomans de eerste vlucht van de KLM via de Noordpool naar Japan mee.

Terstond nadat ik vernomen had dat de KLM een aantal Belangrijke Mannen uit geheel de wereld een gratis retour Amsterdam-Tokio wilde aanbieden ter gelegenheid van haar eerste Poolvlucht op die route, repte ik mij naar de zolder om mijn koffertje te pakken. Een kind kon nagaan dat ik daar bij zou zijn, en jawel hoor, de volgende dag kwam de invitatie. Ik nam deze met beide handen aan, niet alleen om in Tokio te zijn, waar ik altijd gaarne vertoef, maar vooral ook om de Noordpool weer eens te zien. Ik kom daar betrekkelijk zelden en was er in weken niet geweest.

Wij vertrokken van Schiphol om 11 uur 's avonds. Tevoren bood de KLM een receptie aan, waarbij een aantal hooggeplaatste persoonlijkheden tot ons aller bevreemding de hoop uitsprak dat de tocht naar genoegen zou verlopen. Eén official in een donker gestreept pak ging zelfs verder en gaf de wens te kennen dat wij later met voldoening op de onderneming zouden terugzien. Verrast begaven wij ons naar het toestel en een kwartier later schoten wij de inktzwarte nacht in.

Bij reizen als deze is een atlas onvoldoende. Men behoort een aardbol bij zich te hebben. Ik had mij dan ook een globe aangeschaft, maar bij het inpakken bleek het rangschikken van toiletartikelen rond een bol van zulk een diameter bijzonder onpraktisch. Gelukkig had de KLM hierin voorzien en een enorme plastic bal gekocht, die in de cabine van hand tot hand ging. Wanneer men daarop Nederland had ontdekt, moest je het geval helemaal omdraaien om aan de andere kant Japan te vinden.

De vroegere route ging over Rome, Beyrouth, Karachi, Calcutta, Bangkok en Manila naar Tokio en op al die plaatsen kon men uitstappen en kijken of het bier er nog best was. Voor ouden van dagen en hen die er geen jachtwerk van maken, was dit boemeltje zeer geliefd en het wordt dan ook als curiositeit nog gehandhaafd. De nieuwe echter gaat steil naar het Noorden, over Groenland en de Pool, op Alaska aan, waar men in Anchorage één uur stopt. Vandaar recht naar Tokio. Op die wijze spaart men tien uur uit en het schijnt dat er genoeg mensen zijn voor wie deze tijdwinst telt, om de Poolroute rendabel te maken. Ik behoor niet tot hen; maar ik vond het boeiend om met deze zonderlingen in één cabine te zitten.

Al spoedig bleek dat ik mij in dit opzicht vergist had. De meesten hunner waren te belangrijk om haast te hebben en de enkelen die niet belangrijk waren, liet juist om die reden de tijdbesparing onverschillig. Het zijn de mensen daartussen die op spoed letten. De gearriveerden en zij die nog niet vertrokken zijn, hebben beiden de tijd. Tot de laatste categorie behorend was mij nu het voorrecht beschoren de eerste gedurende 32 uren van nabij gade te slaan.
Vooreerst moet het mij van het hart dat het bijeenbrengen van Very Important People in het algemeen niet het resultaat oplevert dat men ervan verwacht. Al deze mensen zijn gewend om in hun eigen land de eerste viool te spelen en nu zitten ze plotseling in een orkest van louter eerste violisten. Het gevolg is dat ze de strijkstok neerleggen en eerst eens een tijdje wantrouwend om zich heen kijken. Ik kon mij de bedremmeldheid, die de eerste drie uren rondom mij heerste, wel enigszins indenken. Een bus met arbeiders gaat

zingend op weg. Niemand der inzittenden riskeert door zich te laten gaan een reputatie, maar hier had bijna elke stoel een naam te verspelen. Er werd dan ook niet gespeeld. De oplossing in zulke gevallen is deze, dat de beroemdste passagiers, in dit geval de dirigent Bernhard Paumgartner, de schilder Jean Lurçat en desnoods, als puntje bij paaltje kwam, de filmacteur Amadeo Nazzari, of de meer officiële, zoals minister H. B. J. Witte of excellentie dr. A. Frick, hun jasje hadden uitgetrokken en luidkeels waren gaan zingen. Nu deze kopstukken hiertoe niet overgingen, doch zwijgend uit hun raampjes staarden, bleef het stil.

Wat zag je eigenlijk als je uit het raampje keek? Volstrekt niets. En dit bleef zo tot een eind voorbij Anchorage, twintig uren lang. Ik acht dit, met alle waardering voor de efficiëntie van de Poolroute, een ernstig bezwaar. Ik ga nog immer van de weliswaar snel verouderende, maar nog altijd verdedigbare opvatting uit dat men reist om onderweg iets op te merken. Deze zienswijze raakt meer en meer in onbruik. De reis naar de maan wordt zelfs liggend op de rug en in een stalen buis volbracht. In steeds sterkere mate valt het accent op het probleem hoe men er komen moet, terwijl de vraag of er ook onderweg iets valt waar te nemen, naar de achtergrond verschuift.

Ik wil echter de KLM met deze opmerking geen schade berokkenen en haast mij hieraan toe te voegen dat dit bezwaar alleen in de winter geldt en dat ons gebrek aan uitzicht door twee beeldschone stewardessen ruimschoots werd vergoed. Bovendien had ik het voorrecht schuin voor mij de befaamde Spaanse danseres, Dolores de Pedroso Sturdza, Condesa de San Estaban de Cañongo te zien. Gewoonlijk vallen mensen met zulke namen enigszins tegen. In dit geval echter was er geen

lettergreep te veel. Elke andere naam had een onder-
schatting van de draagster betekend. En men voelde
dat de pastoor die haar ten doop hield, als in een visioen het inzicht was beschoren geweest wat voor vlees
hij in de kuip had.

Schoonheid en gratie vormden overigens niet de enige
verpozing. Er werd ook duchtig gegeten. Ik heb mij
onderweg met groeiende verbazing afgevraagd waar
toch al die gerechten, die wij om de haverklap kregen
voorgezet, vandaan kwamen. De ruimte in zo'n vliegtuig is beperkt en toch dineerden, soupeerden en ontbeten wij als krankzinnigen voort. Toen het licht werd
kon ik mij niet weerhouden door het w.c.-raampje een
blik naar achteren te werpen om te kijken of wij soms
aan een touw een apart daartoe bestemd vliegtuig achter ons aan sleepten. Er was niets te zien. Vermoedelijk had men het losgehaakt.

Naast mij zat prof. dr. J. P. Blaser, directeur van het
observatorium te Neuchâtel. U hebt misschien nooit
van die man gehoord, maar dat is nu de ster der ster-
renkundigen. Professor Blaser heeft een theorie over
het Exploderend Heelal ontwikkeld die alles achter
zich laat wat op dit terrein ondernomen is en bovendien is hij een specialist in spiraalnevels. Over de hypothese van de in zichzelf terugkerende ruimte is van
zijn hand een dissertatie verschenen waarin voetnoten
voorkomen die de schrijver zelf nog niet geheel duidelijk zijn en in de vierde dimensie beweegt zijn geest
zich voort met een speelsheid die slechts aan enkelen
in de derde gegeven is.

Ik verheugde mij dan ook zeer toen uit de passagiers-
lijst deze naam als een komeet op mij af schoot en mijn
blijdschap steeg toen hij bleek naast mij te zitten. U

moet namelijk weten dat ik in de astronomie een weinig liefhebber. Het mag geen naam hebben, maar toch, ik houd er een plankje met boeken op na waarin op populaire en voor de leek verstaanbare wijze over deze zaken gesproken wordt. Ik begon derhalve geanimeerd en toch bescheiden mijn mening te zeggen over de kosmogenetische theorie van prof. Sjirkow, die het verschijnsel van het uitdijend heelal op een voortdurende creatie terugvoert. De reactie van mijn buurman zou vermakelijk geweest zijn als ik haar tegenover een ander had gadegeslagen. Hij luisterde naar mijn gesnap met de belangstelling van een antiquair. 'Ach so, glaubt man das noch in Holland!' prevelde hij verrast, 'das ist ja *sehr* interessant.' Ik wilde er al het bijltje bij neergooien, maar hij verzocht mij dringend om toch vooral door te gaan. En of ik wilde of niet, ik moest die oude koe uit de sloot halen en hij stond bij het baggerwerk te kijken als een archeoloog, die het niet voor mogelijk had gehouden dat zulke fossielen nog uit de modder konden te voorschijn komen.

De ervaring was vernederend, maar ik heb eruit geleerd dat de popularisatie van de wetenschap een bedrijf is dat bij de actuele stand van zaken enkele lichtjaren ten achter ligt. Ook heb ik hieruit ervaren dat werkelijk geleerde mensen uiterst bescheiden zijn. Niet alleen ontzag hij mijn dilettantisme en droeg zorg mij nergens in mijn gebazel door een abrupte correctie te kwetsen, maar hij ontvouwde ook telkens zijn eigen standpunt met een aarzeling die de ware vorser kenmerkt. Zulke mensen zijn een en al relativiteit. Zij weten dat in de enorme bruggenboog van het menselijk denken hun eigen theorie slechts een steentje is, dat dadelijk door een beter zal vervangen worden. Zij kennen die lange Calvarietocht van het menselijk intellect, het vallen en opstaan en soms helemaal van voren af aan beginnen en zij beseffen in dit historisch perspectief de betrekkelijkheid van het laatst verworven inzicht, ook als het toevallig het hunne is.

Midden in ons gesprek kraakte de microfoon en klonk de stem van de gezagvoerder: *'Ladies and gentlemen, attention please. We are now flying over the North Pole. Thank you.'* De uitwerking van dit understatement was verdovend. Had de man *iets* van jubel laten merken over wat een Nederlandse maatschappij hier presteerde, dan was het effect minder geweest. Maar juist dit koele, zakelijke vaststellen van het feit zelf, zonder enige versiering, gevolgd door het diepe raffinement van het 'thank you', alsof hij zich verontschuldigde voor de kleine storing, viel als een deken over de inzittenden en smoorde alle gesprekken. Ieder zweeg. Ik voelde mijn ogen vochtig worden en drukte mijn voorhoofd tegen het ijskoude raam.

En zie, daar, diep onder mij, nauwelijks zichtbaar in de eindeloze Poolnacht en door het maanlicht slechts als een vermoeden van wit beschenen, strekte zich de ontzettende eenzaamheid van deze door geen mensenvoet betreden vlakte uit. Een huivering beving mij. En tegelijk voelde ik een golf van warmte in mij opstijgen. Hier vloog een vliegtuig uit Nederland, vol aanzienlijke vreemdelingen, en ik was een zoon van dit land. Ik voel mij niet vaak Nederlander, maar toen overspoelde mij dit besef, in een golf van trots.

Ik verzoek u mij hier voor verontschuldigd te houden. Wij kennen, steeds dieper wegzinkend in de draaikolk der 'kleine mogendheden', dit besef bijna niet meer. Het was er eens. En zie, het was er weer. En dan mag men het vasthouden, als een herinnering, voor altijd.

Wie over de Poolgebieden vliegt, wordt door verschillende en zelfs tegenstrijdige gevoelens bestormd. Eén daarvan, een regelrechte en hartverwarmende nationale trots noemde ik al. Maar naarmate men verder vliegt, steekt een ander gevoel de kop omhoog. Schaamte is te veel gezegd. Gegeneerdheid komt er dichter bij. Deze eigenaardige bedremmeldheid, waarvoor ik het juiste woord niet vinden kan, vindt haar oorzaak in een contrastwerking, die als 'onverdiend' ervaren wordt. De tegenstelling tussen de barre onherbergzaamheid daar beneden, waar men na vijf minuten stijf bevroren zou omvallen en de luxueuze geriefelijkheid binnenin, geeft een gevoel van: dit komt mij niet toe. Men leeft boven zijn stand.

Nu leven wij dit allen. Wie het lichtknopje naast zijn kamerdeur omdraait, verricht een daad waarvan het vermogen verre overtreft. Waren wij op onszelf aangewezen, we zouden met een brandende spaander naar binnen gaan. Duizenden jaren hebben de mensen in deze autarkie geleefd: men rees in comfort niet hoger dan de eigen vleugelslag droeg. Sinds het inzetten van de specialisatie echter drijven wij op de wieken van anderen. Wij leven boven onze stand, in die zin, dat onze daden voortdurend een effect sorteren die de kleine cirkel van ons persoonlijk kunnen verre te buiten gaat. Om de enorme afstand te beseffen die er sinds een eeuw gegroeid is tussen wat men zelf bestrijkt en wat door het genie van anderen voor ons verworven is, zou men eens alles moeten afschaffen wat het eigen petje te boven gaat. Ons huis zou nagenoeg leeg zijn. Men realiseert zich dit in het gewone leven niet. Boven de Pool wél.

Er bestaat immers een uitgebreide literatuur over wat

daar beneden op eigen kracht en verstoken van iedere hulp, de laatste vijftig jaar door pioniers is afgetobt. Ik lees zulke boeken graag en ik bezit er over de Noord- en de Zuidpool samen een dertigtal. Andrée, Peary, Shackleton, Amundsen en Scott, ik ken ze allemaal en menige avond heb ik thuis bij de kachel hun tenten mee helpen opzetten en het keiharde 'pemmican' bij veertig graden vorst boven een spiritusvlam ontdooid. Over de motieven van die belezenheid is het verstandig zich geen illusies te maken. Men compenseert eigen gemak met de ontbering van anderen. Alleen mensen die het goed hebben, lezen 'thrillers'. Zij die in nood verkeren, lezen rustige boeken. Het lijfboek van de mannen, die de Scott-expeditie meemaakten, was *David Copperfield*. De Copperfields echter lezen de expeditie van Scott. En zo wist ik precies wat daar in de diepte onder mij door deze eenzamen was verduurd. Ik wist dat een dagreis van dertig mijl in 1910 een enorme prestatie was, waarmee men elkaar, als de honden waren uitgespannen, opgetogen feliciteerde. Welnu, wie met deze wetenschap voor ogen over deze zelfde gebieden vliegt met vijfhonderd kilometer per uur, zittend in een fauteuil en de stewardess enigszins geprikkeld om een nieuw kopje verzoekend, omdat het vorige te sterk was, heeft met een plotseling opkomende verlegenheid te kampen. Ik hoop dat ik duidelijk ben en dat u dit kunt navoelen. Men beseft opeens de enorme kloof die er gaapt tussen wat wij persoonlijk zouden presteren en wat wij nu, moeiteloos en gedragen op de schouders van onze voorgangers, volbrengen. Dit rentenieren op de inspanning van anderen, waarin wij driekwart van ons bestaan doorbrengen, wordt boven de Pool zo bewust ervaren, dat het éven een gevoel van onbehagen teweegbrengt, dat overigens door het bestellen van een nieuwe cocktail direct verdreven wordt.

Hoe piloten zo'n speldeprik in die witte oneindigheid vinden, zal ik nooit begrijpen, maar na twintig uur vliegen kwamen we werkelijk in Anchorage terecht. Het was nog steeds donker. Anchorage ligt in Alaska, de 49ste staat van de United States. Het is een welvarende gemeente, maar ik heb dit van horen zeggen, want we zagen er niets van dan een houten loods en daar omheen een segment verlicht asfalt, dat door schijnwerpers uit de nacht was losgesneden.
Hier stond de burgemeester, omgeven door zijn wethouders en raadslieden, om ons feestelijk te verwelkomen. Het waren reusachtige kerels, maar dit was meer schijn dan werkelijkheid, want toen ze binnen hun bontjassen uittrokken, bleef er aanzienlijk minder van hen over dan ze buiten hadden te vermoeden gegeven. Ik hielp zelf een kolossale dokwerker uit zijn jas, die er als een gebrild kantoorklerkje uit te voorschijn kwam, zodat ik onwillekeurig nog even binnenin keek of er iets was achtergebleven. Het waren aardige, hartelijke mensen, met de ferme handdruk van woudlopers die blij zijn weer eens een bleekgezicht te ontmoeten.
Het is overigens een vreemde gewaarwording om een uur lang met mensen te verkeren die je nooit ofte nimmer meer zult terugzien. Elke zin die zo'n man zegt, is definitief en krijgt het karakter van een laatste wilsbeschikking. Ik bedacht dit toen de burgemeester mij vroeg of de reis prettig was geweest. Ik zei: 'Ja' en hij zei: 'Well, that 's fine.' Vijf minuten later vloog ik door de Poolnacht verder en ging hij weer biljarten. Twee wederzijds volkomen onbekende levens hadden elkaar in het raakvlak van slechts drie zinnen beroerd en gingen

17

ieder hun weg. Nu ik daarover nadenk, zou ik hem willen opbellen en zeggen: 'Yes, *very* fine.' Maar hij zou het niet begrijpen.

Twee uur later ging de zon op. Ik schrijf dit nu zo kalmpjes neer, maar ik zal die minuten nooit vergeten. Na de schier eindeloze Poolnacht, waarin de aarde 'woest en ledig' onder ons lag, was het de vervulling van het 'fiat lux', een beleven van dat grote moment in Genesis: 'En God sprak: het zij licht. En het was licht.' Héél langzaam liep de horizon vol met een purperen schemer en zie, daar verhief zich de enorme zonnebol en dreef de duisternissen voor zich uit. 'En God zag dat het licht goed was.' Ja, hoe goed, hoe weldoend en ver- lossend is de zon daar op de rand der aarde! In het 'scheiden van licht en duisternis' ligt heel de Germaan- se volksziel. Roodkapje, Sneeuwwitje en Klein Duim- pje, al onze sprookjes en sagen grijpen terug op dit mo- ment: het overwinnen van de nacht door de dag, de triomf van de zon, de zegepraal van het zomerlicht op de duisternis van de winter. Athene, Jeruzalem en Ro- me mogen ons de glans gegeven hebben, gedoodverfd zijn wij hier.

Het vliegen over Japan in de late herfst is een beleve- nis die men vermoedelijk nergens elders ondervindt. Ja- pan is een der dichtstbevolkte landen ter wereld, elk lapje grond, ook tegen de steilste berghellingen, is er benut. Van boven gezien vormen die duizenden ak- kertjes een lappendeken in zeer oude kleuren. Zoe- kend naar een vergelijking om u dat koloriet voor ogen te brengen, valt mij een bloem in: de zinnia. Het is mijn lievelingsbloem. Ik houd van die tegelijk verstor- ven en toch krachtige, gezonde, stevige kleuren, dit eigenaardig samengaan van pittigheid en ouderdom, die geheimzinnige combinatie van melancholie en kracht. Juist zó is Japan in de herfst: een verschoten tapijt in tinten die een soort van naglans zijn van de oorspronkelijke kleur, zonder dat aan frisheid iets is ingeboet. Het was prachtig. En ik dacht: wat zal Jean Lurçat *hier* genieten! En hij genoot ook werkelijk, met zijn hele bovenlijf de arme buurman, die naast hem aan het raampje zat, versmorend. Later zei hij mij nog dat dit voor hem het mooiste moment was van de gehele tocht. Dit begrijp ik niet. Het lijkt mij zeer ontmoedigend om van drieduizend meter hoogte een tapijt te zien dat een hele archipel bedekt in juist dezelfde kleuren die men in Parijs op lapjes van twee bij drie vergeefs heeft nagestreefd.

De ontvangst in Tokio viel, hoewel het helaas stortregende, geenszins in het water. Deze receptie kon eenvoudig niet mislukken, daartoe was zij te groots opgezet. Een twintigtal bijzonder fraaie meisjes, allen in Japanse klederdracht, stond in een lange rij van de looptrap naar de receptieruimte en ieder van die meisjes droeg een vlag van de natie, waartoe de passagiers van deze eerste Nederlandse Poolvlucht behoorden. Er waren op deze vlucht twintig landen vertegenwoordigd, er waren dus ook twintig vlaggen.
Maar belangrijker: er waren ook twintig meisjes. Want ik moet bekennen dat ik van die vlaggen in het geheel niets heb opgemerkt. Eerst later zag ik aan de foto dat ze die inderdaad in handen hielden. Het probleem waar wij voor stonden was uiterst moeilijk en ook zonder precedent. Het lopen langs twintig soldaten kan men uit filmjournaals leren. Het geschiedt streng en het is zelfs geoorloofd in het voorbijgaan een knoop

aan een tuniek te corrigeren. Men mag zelfs, gelijk ik de Gaulle heb zien doen, terloops iets aan een geweer verschikken. Maar wat doet men als men door twintig beeldschone meisjes ontvangen wordt? Straf doorlopen is kwetsend, een voor een omhelzen ongeoorloofd. Men dient een houding daartussen te vinden. En het is misschien hier de plaats om iets te vertellen over de juiste omgang met dat merkwaardige Japanse verschijnsel: de geisha.

U weet natuurlijk allemaal wat een geisha *niet* is. Het lag voor onze Westerse begrippen zo voor de hand dat zij dit wél zou zijn, dat wij hierover voldoende zijn ingelicht. Het verrassende hiervan heeft de surprise een publiciteit bezorgd die misverstand voorkomt.

Moeilijker wordt het vraagstuk van zijn positieve kant bekeken. Of, om het probleem in de formulering van Cocteau te stellen: 'Jusqu'où peut-on aller trop loin?' Toekomstige Japan-reizigers, die voor het dilemma staan van enerzijds een te stoutmoedige intimiteit en anderzijds als een tekort aan bewondering op te vatten gereserveerdheid, kan ik een waardevol en in de omgang deugdelijk gebleken advies geven: vaderlijkheid. Onze lichaamslengte stelt ons in staat met deze fragiele wezentjes te verkeren met een minzaamheid die door de betrokkenen als patriarchaal begrepen wordt.

Wie Japan binnenstapt, kan kiezen. De eerste mogelijkheid is zich gedrukt te voelen omdat men er niets van begrijpt. De taal is onverstaanbaar, de godsdienst een mysterie, het karakter ondoorgrondelijk en het eten raadselachtig. Ik acht deze keuze minder juist. Beter dunkt mij de vaststelling, dat Japanners omtrent de elf provinciën hoogst gebrekkig zijn ingelicht. Zij spreken, dit bemerkt men al spoedig, onvoldoende Nederlands, kennen het verschil niet tussen christelijk-historisch en antirevolutionair, terwijl zij noch van de bereiding van aardappelen, noch ook van de juiste afstand tussen Lisse en Hillegom een duidelijke voorstelling bezitten. In zulke verre landen voel ik mij altijd omgeven door mensen die er betrekkelijk weinig van begrijpen. Deze ontdekking, gevoegd bij de logisch daaruit voortvloeiende conclusie dat men de enige is die omtrent de normale gang van zaken enigszins op de hoogte is, geeft aan de tred waarmee men zich door de straten van Tokio spoedt, een opgewektheid en daadkracht die aan kenners van het Verre Oosten onthouden is.

Hoe eet men eigenlijk in Japan? Hier ben ik tot mijn spijt niet achter kunnen komen. Wij hebben natuurlijk Japans gegeten, zittend op de grond, met kimono's en pantoffels aan en door geisha's omgeven. Maar ik vertrouw de zaak niet recht. Bevonden wij ons toen in een vuurvast Japans etablissement? Het kan een veredeld Volendam of een gesublimeerde kaasmarkt van Alkmaar geweest zijn. Het is mogelijk dat wij de enigen in Tokio waren die het strikt Japans hebben opgevat. Ik zag onderweg, telkens als wij ons naar een orthodoxe eetgelegenheid begaven, zoveel gewone restaurants, waar de mensen op normale stoelen zaten, dat ik somtijds het gevoel kreeg een der weinige nog overgebleven rechtgelovigen te zijn in een land van ketters en afvalligen. Ik wil mijn twijfels op dit punt niet verbergen. In het bijzonder herinner ik mij een avond die wij helemaal tot in de puntjes folkloristisch hadden doorgebracht: jasjes uit, kimono's om, muiltjes aan de voeten en zitten op de grond, drie uren lang. Tegen halftwaalf strompelden wij gebroken de trap af om beneden onze spulletjes op te halen, en zie, daar passeerden wij, halverwege de overloop, de huiskamer van de eigenaar. De man zat, omgeven door vrouw en kinderen, allen in ónze Europese dracht, naar de televisie te kijken. Hij wendde, toen hij ons in zíjn pakje voorbij zag tobben, het hoofd opzij en ik meende, maar ik kan mij vergissen, dat er op zijn gebrild gelaat een flauwe glimlach verscheen. Hij zei ook iets tegen zijn oudste zoon en nu zou ik zo dolgraag weten wat die man gezegd heeft. Je komt daar natuurlijk nooit achter. De enige die daar een vermoeden van kan hebben is de burgemeester van Marken.

De zaak is deze dat Japan, als Japan, bezig is te sterven. Ik schrijf dit met tegenzin, omdat ik weet hoeveel mensen die daar geweest zijn, zich in hun ziel voelen aangetast. Wat? Japan stervende? En de oude volksgebruiken? De klederdrachten, het Japanse toneel, de religieuze processies, de oogstfeesten en het eerbiedwaardig thee-ceremonieel?
Een ogenblik. Ik zeg niet dat deze dingen niet bestaan. Ik beweer slechts dat zij gedoemd zijn te verdwijnen. Ik voorspel dit, mutatis mutandis, tevens van China,

India en dadelijk Tibet. Tegen de efficiëntie van het Westen is niets bestand. Wie de geschriften van Lafcadio Hearn kent, die het Japan beschrijft van nauwelijks dertig jaar geleden, en nú Japan bezoekt, ziet wat er reeds is weggespoeld. Gebruiken waaruit de bodem van de noodzaak is weggevallen, lopen onherroepelijk leeg. Nationale piëteit kan dit proces vertragen, het voltrekt zich onafwendbaar. De riksja is uit het straatbeeld verdwenen, niet omdat deze vorm van vervoer met de menselijke waardigheid streed, maar omdat genoemde motivering werd mogelijk gemaakt door het verschijnen van snellere transportmiddelen.

De thee-ceremonie is nog een bestaand, maar steeds zeldzamer wordend en de grens van het bezienswaardige bedenkelijk naderend gebruik. Het ceremonieel wortelde in twee economische feiten: de duurte van de thee en de schaarsheid van vaatwerk. Het is die wortels kwijt. Wat voor zin heeft het een vol kwartier een kopje sprakeloos tegen het licht te houden dat voor een dubbeltje in elk warenhuis te krijgen is? Waarom zou men drie uur zitten wachten op thee die om de hoek van de volgende straat in vijf minuten en aanzienlijk beter van kwaliteit voor uw neus staat? Men kan die zaken prolongeren. Maar het is Heemschut. En de heer Cruys Voorbergh kan het u zeggen: geen enkel gebruik handhaaft zich op het uitsluitend pittoreske.

De schrikbarende erosie van de Westerse industrie, die alles nivelleert wat als nationaal reliëf omhoog staat, doet zich in Japan als een vloedgolf voor. Het land heeft weinig creatief vermogen en een bijna pathologisch te noemen imitatiedrift. Geen stad ter wereld zou het bestaan om een typisch Parijs accent als de Eiffeltoren letterlijk over te nemen. Tokio deed het en dit zonder het flauwste vermoeden van absurditeit. Daar staat, midden in de stad, een getrouwe kopie van het geval, alleen zestig meter hoger. Dit voorbeeld is tekenend voor de kritiekloze drang tot nabootsing, gepaard aan een zucht tot perfectionering, die alles dreigt weg te maaien wat er aan eigen cultuur is overeind gebleven. Dit is veel en men kan het, vooral in Kioto en Nara, steden die ik beide bezocht, nog volop genieten. Maar men voelt tevens: het gaat voor de bijl.

En niet alleen in de architectuur, de klederdracht, de eetgewoonten en in de gebruiksvoorwerpen, ook in het toneel ziet men dat beide cultuursferen, de Westerse en de Japanse, op elkander stoten, waarbij de eerste het voortdurend wint. Zelfs in het sterkste bastion van Japanse volkskunst, het Kabuki-theater in Tokio, zag ik een moderne tap-dance geïntroduceerd midden in een oud Japans toneelstuk. Het publiek was opgetogen. Het Kokusai-theater heeft het conflict aldus opgelost: vóór de pauze Japans toneel, daarna revue-girls. De gewaarwording is allerzonderlingst. Eerst kijkt men twee uur lang naar oeroude legenden, die zich met de statigheid van vertraagde beelden voltrekken, zodat het 'tableaux vivants' lijken: het heffen van een hand, het oprapen van een zijden doek en zelfs het wenken van een vinger zijn gebeurtenissen die, door het tokkelen van enkele snaarinstrumenten begeleid, werelden van verborgen symboliek oproepen ... en daar opeens gaat een tweede scherm omhoog en gooien, onder het geschetter van een volledig jazzorkest, tachtig meisjes de benen omhoog. Ik kan die ontstellende overgang, waarin het hele probleem Japan ligt opgesloten, niet raker voor u tekenen dan door hier het programma over te nemen:

1. De Wijding in de Asakusa-tempel

Ik keek eens rond in de zaal of er ook iemand krank-
zinnig werd. De duizenden Japanners staarden met dezelfde onbewogen, bijna religieuze aandacht naar het
toneel als vóór de pauze. Collectieve schizofrenie.

Een Japans toneelstuk is een saaie affaire. Wat het aan
actie bevat is in een Amerikaanse film in tien seconden
voorbij geflitst en zelfs dan zou dit gedeelte nog met
'stil spel' zijn aangeduid. Er gebeurt in zo'n stuk bijna
niets en het weinige dat er gebeurt, is volkomen uiterlijk. Wat óns in toneel interesseert: de gemoedsbewe-
gingen der spelers, de ontwikkeling van een bepaald
karakter, het omslaan van een houding in haar tegendeel, het is alles afwezig. Het gaat de toeschouwer niet
om de psychologische achtergrond, maar om het my-
thologisch gegeven, dat hij precies kent, maar blijkbaar nóg eens wil horen. Dit homerisch standpunt,
waaruit wij allen destijds vertrokken zijn en dat men
de wieg van het drama zou kunnen noemen, is hier nog
volledig van kracht, al zijn, met de invoering van de
Westerse film, de dagen ervan geteld. Het Japanse toneel ligt nog in de windselen van de epiek en zal vermoedelijk de botsing met het oneindig versnelde beeld
van de camera niet overleven. Door kostuums en decor

25

is het als kijkspel interessant, maar niet lang. Na twintig minuten wendde ik de blik van het toneel af, de zaal in. Verveelden mij de gebeurtenissen aan gene zijde van het voetlicht, aan deze kant was de voorstelling uitermate boeiend.

Om de toeschouwers te bekijken hoefde ik niet de onbeleefdheid te begaan mij om te draaien en hen in het gezicht te zien. Wij, Europeeërs, zaten in een zijloge en wel op kussens (zoals het in Japan behoort), zodat we onbelemmerd uitzicht genoten op de tweeduizend Japanners, die (zoals in Europa gebruikelijk is) op stoeltjes gezeten waren. De aanblik was fascinerend. Wat een Westerling allereerst in het oog springt is de armoede van gelaatsexpressie. Ik schrijf dit onder voorbehoud. Het kan zijn dat wij, aan deze gezichten niet gewend, de uitdrukkingen niet waarnemen die tussen ernst en vrolijkheid wel degelijk staan opgetekend. Het is mogelijk dat het spectrum van gemoedsbeweging veel genuanceerder zichtbaar is, maar wij vangen in feite slechts twee golflengten op: een excessieve uitbundigheid en een soort stenen ernst. Tertium non datur. Alles wat daartussen ligt: twijfel, schroom, vertedering, argwaan, het begin van spanning of het einde van een glimlach, kortom, alle rimpelingen van gevoelens, ontgaan het Westerse oog. Wij zien niets dan de twee uiterste frequenties van het spectrum: kinderlijke uitgelatenheid en een volkomen gesloten, ontoegankelijke ernst. Nog eens, het is *mogelijk* dat een Japanner de daartussen gelegen kleuren van het gamma inderdaad *ziet*, maar waarschijnlijk acht ik dit niet. Veeleer neig ik tot de opvatting, dat het gezicht in Japan een andere functie heeft dan bij ons.

Een Westers hoofd streeft naar doorzichtigheid, het wil transparant zijn en iets mededelen. Het Japanse gelaat wil verbergen. Dragen wij ons gezicht als een open bladzijde van de passage waar we innerlijk mee bezig zijn, een Japanner houdt het boek gesloten. Hij draagt een masker. Een Europeaan, die deze kuisheid van overdracht niet kent, krijgt, als hij zo'n zaal met Japanners voor zich ziet, het enge gevoel tegenover tweeduizend binnenvetters te zitten, die alles van hem begrijpen maar van zichzelf niets te raden geven. Een griezelige ervaring.

Nu ik hier toch over schrijf, neem ik meteen de vrijheid een vermoeden uit te spreken dat zich gaandeweg in mij gevormd heeft. Het is dit: dat het bewustzijnsleven van een Japanner inderdaad minder gecompliceerd *is*. Wat wij voor discipline aanzien kon weleens het gevolg zijn van een geheel ander gevoelspatroon dan het onze. Wij voelen persoonlijk en geven daaraan uiting in een persoonlijke vorm. Een Japanner voelt natuurlijk ook individueel, maar hij uit zich in vormen die *niet* door hem persoonlijk en op het moment zelf gevonden worden, maar als produkten van een eeuwenlange ontwikkeling reeds klaar liggen.

Deze vaste schema's beïnvloeden op hun beurt het gevoelsleven, dat zich onmiddellijk in een bepaalde structuur kristalliseert. De liefde van een dochter voor haar vader is minder, zoals bij ons, de zeer speciale genegenheid van dit bepaalde meisje voor die bepaalde vader, maar veeleer het beoefenen van het begrip kinderliefde, afdeling dochterlijke genegenheid, waarvan de uitingsvormen tevoren vaststaan. Het Japanse sentiment schiet terstond in een bepaald schema met een eigen vormentaal, waarbij aan de persoonlijke expressie minder ruimte gelaten wordt dan in het Westen. Een Japanner, en dit geldt voor alle Oosterse volkeren, is dus in veel geringer mate bij een mededeling *persoonlijk* betrokken en kent dus niet onze behoefte aan mimiek. Ik geloof dat hierdoor de onaandoenlijkheid verklaard wordt die iedere reiziger in het Oosten opvalt. Hij denkt: wat gaat er in die man om? Het antwoord luidt: die man beoefent nu het begrip hoffelijkheid, afdeling vreemdelingen, sector luchtreizigers, en hij doet dit correct en overeenkomstig de normen welke voor deze gelegenheid zijn vastgesteld.

Het is de gewoonte om, wanneer men uit Europa komt en met de hoofse wellevendheid van het Oosten verkeert, dit laatste superieur te achten. Zie toch, zo leest men vaak in reisverslagen, hoeveel meer stijl en cultuur deze volkeren bezitten en met welk een gratie ik word tegemoet getreden. De vergissing ligt in het woordje ik. Gij wordt namelijk niet tegemoet getreden, de Japanner ziet u niet eens. Wat hij ziet is een situatie waarvan gij toevallig de representant zijt. Hij verkeert niet met een persoonlijkheid, maar met een opgave die alleen door bepaalde omgangsvormen kan worden opgelost. Hij ziet in u minder een individu dan wel een probleemstelling, waarvan de sleutel hem door een zorgvuldige opvoeding gegeven is. De Westerse omgang echter moet het van de persoonlijke creatie hebben. U staat voor een individu, die in zijn volkomen apartheid een speciale, nimmer te herhalen en bovendien aan *dit* moment aangepaste behandeling vraagt. De oplossing is telkens een improvisatie, die als zodanig inferieur moge zijn aan een uitkomst, door eeuwen van generaties opgebouwd, maar die ik toch hoger stel. Als ik een klasgenoot van de lagere school tegenkom en ik roep: 'Piet! Ken je me nog? Derde bank links, raamkant!', dan is dat misschien minder dan het voorgeschreven aantal buigingen dat in Japan voor het ontmoeten van klasgenoten staat, maar het heeft de verdienste alleen voor Piet bestemd te zijn. Men moet dit Jan, die een bank verder zat, onthouden. Zij die in dit opzicht het Oosten de voorkeur geven boven het Westen, begaan de onbillijkheid de waarde van een persoonlijke vondst te vergelijken met een bestaande liturgie. En dan verliest het de vondst. Men moet het alternatief aldus stellen: wens ik als persoon gezien of als symbool behandeld? En dán kies ik het avondland. Het resultaat mag minder zijn, het uitgangspunt is van hoger orde.

Dit neemt niet weg dat ik mijn ogen aan deze liturgie heb uitgekeken.
Ik zag in de hall van het Imperial Hotel de ontmoeting tussen een moeder en twee dochters. De dochters hadden ieder een vriendin bij zich, zodat in totaal vijf personen in de plechtigheid betrokken waren. Een pauselijke Hoogmis in de Sint-Pieter is een vrij ingewikkelde gebeurtenis, maar vergeleken bij wat zich hier ontrolde was het overzichtelijk te noemen. Eerst bogen alleen de dochters, toen bezweek ook de moeder, die een groeiende aandrang tot terugbuigen een tijdlang krachtig had onderdrukt, en begon als een razende het verloren terrein te herwinnen. En ten slotte werden ook de twee vriendinnen, die er als onbewogen acolieten hadden bijgestaan, in de orgie van wederzijdse hoffelijkheid meegesleept. Het schouwspel werkte zo aanstekelijk dat ik mij moest bedwingen om niet mee te buigen en mijzelf reeds op enkele inleidende nijgingen betrapte. Nadat dit vijf minuten zo had voortgeduurd, achtte de oudste dochter het ogenblik aangebroken om de handeling waar het om te doen was, te voltrekken. Die bestond in het overreiken van een zakdoek, die de

moeder in een nevenvertrek had laten liggen. Hierna gingen de celebranten over tot de sluitingsplechtigheid, waarna men elkander, ruggelings achteruit tredend, verliet. Ik stond nog betoverd naar de lege plek te kijken toen een passerende kelner in het voorbijgaan iets wegpikte van de stoel waaruit de moeder was opgerezen. Het bleek de zakdoek te zijn.

Nog iets over Japanse gezichten, ditmaal een eenvoudiger waarneming.
In het algemeen kan men zeggen dat over de gehele wereld vrouwen mooier zijn dan mannen en dat dit een van de opvallendste kenmerken is, waarin wij ons van de dieren onderscheiden. Maar nergens is dit verschil zo duidelijk als in Japan. Op een enkele betreurenswaardige uitzondering na zijn daar alle vrouwen mooi en alle mannen zonder exceptie afschuwelijk lelijk. Hoe dit komt weet ik niet, ik constateer slechts het feit. Men kan natuurlijk naar de oorzaak gissen en dan waag ik de veronderstelling dat in Japan geen enkele man zijn best hoeft te doen. De ingeboren dienstbaarheid van de Japanse vrouw, gepaard aan het enorme overschot aan vrouwelijke bevolking heeft tot gevolg dat een man ginds aan iedere vinger van zijn hand niet alleen een vrouw kan hebben, maar ze ook inderdaad heeft.
Nu zult u vragen: wat heeft dit met zijn lelijkheid te maken? Zou hij er onder die omstandigheden niet veeleer fleurig en opgewekt moeten bijlopen? Nee. De opmerking siert u, wijl zij van onschuld getuigt, maar zij is onjuist. Apollo mag het moeilijk hebben bij onvervuldheid, bij verzadiging verdwijnt hij totaal. Het restant aan bezienswaardigheid, dat een Europese man uit zijn nijver bestaan weet te redden, dankt hij aan

het feit dat hij een vrouw moet *winnen*. De weinige
veren, hem door de schepper verleend, moet hij alle
opzetten wil hij zijn buit nog voor donker binnenhalen.
Hij dient zijn 'best te doen'. En de natuur, die in alle
noden voorziet, verleent hem een geringe, nauwelijks
waarneembare en door de verliefde vrouw nog juist
opgemerkte charme, welke blijkbaar net voldoende is.
Het is niet veel, ik geef het toe, maar hij is althans het
aankijken waard. Een Japanse man is dit niet. Hij is
niet alleen foeilelijk, hij bezit bovendien de lelijkheid
van de geblaseerde. Het doet er niet toe hoe hij eruit-
ziet en precies zo ziet hij eruit. Hoe een vrouw daarmee genoegen kan nemen is mij een raadsel, maar ze
doet het ermee.

Er is nog een andere verklaring, die op strikt theologisch terrein ligt. In tegenstelling tot ons scheppings-
verhaal is in Japan de vrouw het eerst geschapen. De
naam van de godheid is mij ontschoten, maar hoe hij
ook heette, hij begon met het moeilijkste. En nu is het
mogelijk dat deze Japanse godheid, na volbrachte ar-
beid zich plotseling herinnerend dat de man er nog niet
was, met een inzinking te kampen had en zich van het
overblijvende werk gekweten heeft met een spoed die
van slordigheid niet is vrij te pleiten. Wie de Japanse
vrouw kent zal deze vermoeidheid begrijpelijk achten,
al speelt het abuis zich op te hoog niveau af om de
vergissing menselijk te noemen.
Toch moet u niet denken dat ik de Japanse vrouw mooi
vind in de orde waarin een Europese vrouw mooi kan
zijn. Deze is schoon op een eigen, onvervangbare en
door geen andere vrouw navolgbare wijze, de Japanse
echter is collectief mooi, zonder tot een duidelijke vari-
ant te rijzen. Ook hier kan het ongeoefend oog bedrie-

gen, maar het lijkt mij bijna ondoenlijk om Japanse vrouwen individueel te onderscheiden. En nu doet zich een mogelijke verklaring voor van de spreekwoordelijke ontrouw die de Japanse echtgenoot wordt toegeschreven. Is het niet denkbaar dat de Japanner, ofschoon in de praktijk polygaam, in theorie met de beste bedoelingen bezield is? Kan wellicht ook hij, zo vraag ik mij af, ze niet uit elkaar houden? Bemerkt hij telkens, zij het te laat, dat hij zich *weer* vergist heeft? Na mijn onvriendelijke opmerking over zijn uiterlijk is het mij een genoegen deze ontlastende hypothese althans ter overweging aan te bieden.

Uit Curaçao, zomer 1963

Architectonisch is het hier Enkhuizen in augustus met opvallend veel ongewassen mensen op straat. Alle 12 lezingen uitverkocht. Volgende week 4 lezingen in Suriname, 2 op Aruba en 2 op Bonaire en 4 in Paramaribo. Wat een vlijtig baasje in de hitte.

G.

Op reis rond de wereld

In oktober 1968 maakte Godfried Bomans een wereldreis. Michel van der Plas had een gesprek met hem
over deze reis, over het reizen in het algemeen, over de
Hollandse naam in den vreemde, over bekrompenheid
en ruimte.

Het was een echte reis om de wereld, hè?
Een echte. Vijftigduizend kilometer. Ik vertrok op 1 oktober 1968 en kwam op 31 oktober terug. De route was: Amsterdam - Londen (overstappen) - New York (overstappen) - Grand Rapids (drie dagen aldaar) - Houston - Mexico City (3 dagen) - Los Angeles (overstappen) - Honolulu (3 dagen) - Sydney (2 dagen) - Melbourne (3 dagen) - Singapore (2 dagen) - Bangkok (3 dagen) - Hong Kong (3 dagen) - Abadan (3 dagen) - Teheran - Tel Aviv (3 dagen) - Amsterdam. Afrika is het enige continent dat ik nog niet gezien heb.
In opdracht van de NCRV?
Van de NCRV-televisie. Meer in het bijzonder: om bezoeken te brengen aan Nederlanders in den vreemde. Een dankbaarder gehoor heb ik nooit gehad en is ook niet denkbaar. Zo'n Nederlandse kolonie is een groep die taalkundig aan inteelt gaat lijden. De mensen missen de Nederlandse cafés, de tribunes van de stadions, de achterbalkons van de trams en de taxichauffeurs - kortom datgene waar de levende taal zichzelf voedt en verrijkt. Je taal heeft geregeld een bloedtransfusie nodig. Een Nederlandse kolonie lijdt aan een linguïstisch hongeroedeem. Het woordenboekje verschraalt. Met de jaren wordt het taalgebruik van een orgel een harmonium en ten slotte een mondharmonika. Als er dan opeens een schrijver komt, brengt 'hij het hele orgel binnen. Dat concert wordt hooglijk gewaardeerd.
Je bent geen reiziger van nature, hè? Eerder een thuiszitter ...
Dit was om te beginnen geen reizen, maar zich verplaatsen. Het meest vermoeiende en zelfs uitputtende

waren de tijdsverschillen. Ik ontmoette een mevrouw in Grand Rapids die me vertelde dat ze dagen nodig had gehad om aan de gevolgen van het tijdsverschil te wennen. Het is de ervaring van alle intercontinentale reizigers. Ik had nergens tijd om eraan te wennen. Het gevolg was dat mijn slaap- en eetschema voortdurend volledig verstoord was. Je ontbijt op een moment dat dat volgens je gevoel, je constitutie niet moet. Ik was zo doodmoe dat ik overal als een blok neerviel en sliep. Maar af en toe werd ik dan wel midden in de nacht wakker met het aan zekerheid grenzende gevoel dat het geen nacht behoorde te zijn.

Nee, ik ben van nature geen reiziger. Ik heb mijn handen vol aan mijn onmiddellijke omgeving. De dingen waar het om gaat, zijn vlak bij je te vinden. Het gaat in het leven van een mens niet om tempels en mooie vergezichten, maar om relaties met andere mensen.

Als je terugkijkt in je leven, wat blijk je dan te hebben onthouden? De momenten waarop je op je lazer kreeg. De man die niet van reizen houdt, heeft er het meeste aan - aan reizen. Díe krijgt shocks. De man die van reizen houdt is al reizend in zijn element, prolongeert zijn leven, krijgt geen shocks. Geef mij maar de shocks.

Zie je nu werkelijk iets op zo'n reis?

Zien doe je betrekkelijk weinig. Horen - dát doe je veel. Ik logeerde vrijwel steeds bij Nederlanders die al lang ter plaatse zaten. Dan hoor je wel wat. Daar komt nog bij dat je jezelf beschermt, je wilt ook niet zoveel zien, omdat je weet dat je niet te veel verdragen kunt.

Ik dacht vanmorgen: er zitten twee voordelen aan het reizen - tenminste zoals ik het doe, een niet-reiziger. Het eerste is dit: je komt in een kindersituatie. Het kind beleeft alles voor het eerst, valt van de ene sensatie in de andere. De volwassene zit in een herhalingssi-

tuatie, hij is praktisch aan alles gewend. De tijd duurt
voor een kind lang omdat alles zo nieuw is. Een woensdagmiddag – een zee van tijd. Als je op reis bent, en je
denkt opeens: gisteren was ik nog in Nederland, maar
het lijkt al een week geleden, kom je weer in de kindersituatie: de tijd is gaan stollen – omdat alles nieuw
is en anders. Een dag voor je bureau is niets: dan vliegt
de tijd. Zo'n reis van een maand is dus eigenlijk een
jaar.
Het tweede voordeel van reizen vind ik dit: je wordt
teruggebracht op je eigen ressources. Je bent weg van
je boeken, je vleugel, je tuin, weg van je vrienden,
vrouw en kind, je poes. Thuis zit je in een groot schut-
tersstuk van Frans Hals op je plaats aan tafel. En
opeens zit je er niet meer. Red je dan maar. Je beweegt
je tussen vreemde dingen en mensen – nu moet er
uitkomen wat er in je zit. Dat zijn twee nuttige erva-
ringen geweest.
Ga je nooit met vakantie, ergens heen, op reis?
Nooit. Ik ga niet voor mijn genoegen op reis. Anders
deed ik het wel. Niet verder, tenminste, dan Edam of
een dagje onderduiken in Amsterdam. Dat wil niet
zeggen dat die wereldreis niet aan mij besteed zou zijn,
want je wordt opeens klaar wakker. Maar met animo
gereisd heb ik niet. Ik vond het vreselijk.
Wat was het vreselijkste?
Om tien uur achter elkaar in een stoeltje te zitten dat
te klein voor je is. Je denkt voortdurend: ik zou er
weleens uit willen. Maar als je dan de benen van je
buurman ziet en je denkt aan dat gedoe om eruit te
komen, blijf je toch maar zitten. En als je naar buiten
kijkt, zie je niets: het is er wit. Dát bedoel ik nu o.a.
met zo'n shock. De vlucht Melbourne-Bangkok bijvoorbeeld. Tien uur. Je wordt kluizenaar. Zie je maar

te redden in je eentje.

Ook vreselijk was die aankomst in Hong Kong. Na uren vliegen rechtdoor naar de zaal, een bomvolle zaal; acht uur is het, de mensen zitten op je te wachten; of je maar beginnen wilt. Ik moest de mensen bezighouden tot Theo Wip zou komen met zijn camera, voor de opname. Die had last met de douane en kwam pas om 1 uur. Van 8 tot 1 's nachts moest ik dus optreden. En dáárna begonnen nog eens de interviews. Het werd nog 3 uur.

Maar de mensen bleven. Allemaal. Er is een enorme begeerte om voor landgenoten op de tv te vertellen hoe zij het hebben. En geef ze eens ongelijk.

'Ik ging op reis om thuis te kunnen komen.' Ben je het eens met dat citaat?

Ja. Dat is mooi. Winst is van zo'n reis als de mijne dat je Nederland gaat zien tegen de achtergrond van het buitenland. Je kunt jezelf niet kennen; maar nu ben je even naast jezelf gaan staan, en je ziet het eigene opeens als lokaal, maar tegelijk als onvervangbaar, uniek. Terugkomen in Nederland is iets prachtigs. Het maakt je blij. Dat frisse groene gras, dat wonderlijke licht. De kleuren zijn hier veel genuanceerder dan in het Oosten. Je kunt in het Oosten dan ook niet schilderen. En ook dit; Nederland vanuit de lucht: het is een duidelijke enclave van welvaart.

Trof je veel 'heimwee naar Holland' aan?

Al die mensen krijgen Nederlandse kranten. Al die mensen hebben boven de schoorsteen een portret van de koningin en de prins, of van Beatrix. En ze hebben allemaal een 'Gezicht op het IJ'. Het is gek. Wij zijn een volk dat voortdurend kankert. Maar we zijn het *enige* land dat dat doet. Wij vinden onszelf maar klein en burgerlijk, maar Nederlanders in het buitenland

38

zijn trots op Nederland en sparen om terug te komen. Men betaalt er een hoge prijs voor. Je vraagt naar de kinderen, en dan blijken die in Nederland te studeren, de zoon in Wageningen, de dochter op de vu. Die kinderen missen ze. Maar ook de kinderen, de kleinere, die bij hen wonen, gaan ze in min of meerdere mate missen: die spreken vloeiend de taal van het land, en de ouders kunnen dat meestal niet; dat schept een grote distantie.

Over veel emigranten heb je horen vertellen dat Holland hun te bekrompen was geworden, dat ze 'ruimte' wilden.

Ja, dat is waar. Maar ik heb ontdekt dat die ruimte een fictie is. Je gastheer woont toch óók in een straatje en heeft het over het lekkende dak van zijn buurman aan de overkant. Het is er net zo klein als hier. De ruimte zie je wel in de atlassen, maar niet bij de mensen thuis. Daarnaast is er dan wel dit: je gastheer zegt dat hij een grote garage achter zijn huis laat bouwen, jij vraagt: hebt u daar een vergunning voor, en hij moet dan heel hard lachen. Dat is een andere 'ruimte'. Maar overal was heimwee. Veel heimwee. Ze hebben allemaal plannen om terug te gaan. En heel dikwijls vertellen ze je over het stukje grond dat ze gekocht hebben ergens tussen Oisterwijk en Gestel en laten ze je de tekeningen zien van de bungalow die daar komen moet, later.

Wat heeft op die wereldreis het meeste indruk op je gemaakt?

Er is een kerk in Mexico City: Maria van Guadelupe. Er ligt een enorm plein voor, ik denk wel 800 meter. En dat wordt knielend afgelegd. Stokoude vrouwtjes, met een zakdoekje dat ze steeds vóór zich verplaatsen, want de rok moet gespaard blijven. En maar bidden. En volhouden. Want Maria moet iets doen. Dat kan niet anders; die ziet en hoort dat toch, en die laat zich in generositeit niet overtreffen. Jongens ook, 18, 19 jaar. Niemand is er te groot of te klein voor. En echte verzonkenheid in gebed; gezichten die werkelijk naar binnen gekeerd zijn. En eenmaal in de kerk gaan ze dan nog even door: op hun knieën het middenpad door tot voor het altaar. Je komt uit een land dat door twijfel is aangegrepen en je ziet dat geloof aan en je weet: dát is wat. Daar heb ik een hele ochtend gestaan. Dat wou ik zien. Het is ernst. Het is geloof. Wij hebben dat ook gehad. In de middeleeuwen. Dat is erg lang geleden.

Nog een merkwaardige ervaring. In Abadan. Ik sprak er met een gastheer over ontwikkelingshulp. Een man met een enorme buik. 'Ik doe daaraan,' zei hij. Ik moest lachen. Hij zei: 'Dat sturen van melkpoeder is niets. De mensen die die poeder sturen zijn heel edel, dat staat vast. Ik ben niet edel. Maar doordat ik hier geboord heb en olie heb gevonden, geef ik aan 2000 Perzen werk, huizen, scholen. Niet om edele redenen, maar omdat ik over tien jaar een mooie bungalow in Wassenaar wil hebben.' Een merkwaardige ervaring. Hij wees op het onheroïsche van zijn motieven, maar het effect was groter, vond ik. Hij zei: 'De ware ontwikkelingshulp is die welke die hulp overbodig maakt. En dat doe ik.'

En dan mijn gesprekken met missionarissen, in Bangkok. Paters, broeders, zusters. Mensen die niet voor twee jaar gaan ontwikkelen, maar het hun leven lang doen. Hele oude waren erbij, die er 40 jaar zaten of langer. Heel kalm, geen enkele poespas. Die hadden geen heimwee naar Holland; verlof was zoiets als een onwelkome onderbreking.

Zou jij kunnen emigreren?

Ja - overal waar de Romeinen geweest zijn. Naar alle landen in het Middellandse-Zeebekken. Daar zijn de wortels van onze beschaving. Athene, Jeruzalem, Rome. Maar niet naar Australië, op een kippenfarm. We hadden het daarnet over thuiskomen. Als je uit het Oosten komt, is heel Europa thuiskomen. Ik kan ook niet zonder geschiedenis, zonder perspectief in de tijd. In Amerika missen ze dat, en ze beseffen het en het doet hun pijn. In Disneyland maak je een rondrit met een treintje en een rondvaart met een boot en dan duik je de geschiedenis in - maar lang duurt dat niet. De burgeroorlog, de successieoorlog, nog even Columbus en de Indianen, en dan ineens de dinosaurussen, in de oerfauna. Tussen Columbus en de dinosaurussen zit niets. Die hap pakken ze dan wel, in een soort van kinderlijk 'first'-gevoel. Elders, India bijvoorbeeld, daar weet je dan wel dat er een heel lange geschiedenis geweest is, maar dat is een geschiedenis waar ik niets mee te maken heb gehad; die geschiedenis leeft bovendien niet, daar. Onze geschiedenis leeft veel meer. In die Oosterse landen is onze techniek als een stoomwals over hun geschiedenis heen gegaan. Bangkok, Teheran, Hong Kong, Singapore: het zijn Westerse steden. Het zogenaamde geheimzinnige Oosten is weggevaagd. Bij ons is de geschiedenis geïntegreerd bewaard gebleven, gekoesterd haast, daar stukgemalen.

Vreemd: waar wij gekomen zijn, trekken die mensen onze pakken aan, schuiven ónze gebitten in hun mond, zetten ónze brillen op.

Waar, op je reis, was je het liefst langer gebleven?

In Jeruzalem. Ik moet zeggen: ik heb er eigenlijk alleen het Heilig Graf bezocht. Overigens, alweer, een merkwaardige ervaring. Dat graf met de verschillende holletjes in het rond van allerlei verschillende geloofsdenominaties. De begrafenisondernemers, moest ik denken. Eéntje had er iets bijzonders. Zo'n man met zo'n hoog zwart ding op zijn kop; ik denk van de Grieks-orthodoxen. Die had een extra holletje, daar kon je je hand doorsteken en dan raakte je de authentieke steen aan. Voor een pond. Je moest er een brandend kaarsje bij vasthouden. Je bent je dan wel meer dan ooit bewust dat de gestorvene juist gestorven is om o.a. dit uit de wereld te helpen.

Heb je souvenirs meegenomen?

Niet daarvandaan. Twee Chinese paardjes, brons, ik zag ze bij een uitdrager. Of het Ping of Ming is weet ik niet, ik vond ze mooi. En een Mexicaanse hoed.

Was, is de Hollander overal herkenbaar?

Ja: aan de afwezigheid van pathos en aan het permanent verlangen om zich niet te laten belazeren. Als ze Engels zouden spreken, zou ik ze kunnen herkennen aan de zin: 'Daar wordt zo'n drukte over gemaakt, maar het zit eigenlijk zo.' We zijn herkenbaar aan ons vermogen om alles terug te brengen tot het kleinst mogelijke volume. Het woordje 'eigenlijk', dat is helemaal van ons. Eigenlijk is een franje aftrekkend woord. 'Eigenlijk zit het zo.' Misschien maakt dat ons juist zo geschikt in den vreemde. Ons vermogen om de kortste, de meest efficiënte weg te vinden.

We hebben een vreselijk goede naam in de wereld. Ik heb het kunnen vaststellen. Holland, dat betekent: dan gebeurt het dus, en gauw, en goed. De uitdrukkingen in het Engels waar 'Dutch' pejoratief in voorkomt (Dutch treat, enz.) duiden op onze zuinigheid, niet op onbetrouwbaarheid. En zuinigheid is een deugd die in deze tijd meer en meer waardering vindt.

Wel wordt alles, mede door ons, daar lelijker. Gastheren in het Oosten laten je foto's zien; zo was het twintig jaar geleden, zeggen ze, en je ziet iemand op een veranda zitten tussen de pilaren, en een loof-overwelfd pleintje. Dat is nu allemaal weg, zeggen ze dan, en in plaats daarvan zie je de horreurs. De omwegen zijn weggevaagd. Wij van het Westen brachten er de kortste verbinding tussen twee punten. Wij zijn medeschuldig aan de verlelijking van die landen. Ik betreur dat wij er een krachtig aandeel in hebben gehad, maar ik zie in dat ze er door lelijkheid bovenop geholpen worden. Aan Heemschut-mentaliteit onzerzijds hebben ze niets.

Wat onze goede naam betreft, zijn wij bekrompen?

De Fransman in een provinciestadje is veel bekrompener dan de Nederlander. Wij hebben onze bekrompenheid tenminste in de gaten – dat vind ik een teken van ruimtebesef. Maar wat is bekrompen – ik houd van mijn stad, mijn huis, mijn tuin, mijn erf, je kunt dat voor mijn part bekrompen noemen. Maar je kunt ook met Pascal denken dat alle ellende in de wereld voortkomt uit het feit dat de mens niet in staat is om op zijn kamer te blijven zitten. Je zou in plaats van bekrompenheid het woord autarkie kunnen bezigen, het vermogen om van de plek waar je staat een sterke dampkring te maken. Ik wantrouw de man die zijn wortels miskent. Ik wantrouw de man die zich overal in kan verplaatsen. De ware reiziger is de man die de mensen in alle andere landen vindt lijden aan een lichte graad van krankzinnigheid, en die het Thailands als een sterk verbasterd Nederlands beschouwt waarmee het maar behelpen is. De man die overal in kan komen, vergelijkt mij te weinig. Dat is ook de man die zijn eigen land in het buitenland afkraakt. Dat kunnen nogal wat Nederlanders. Daarin zijn we de enigen in de wereld.

43

Je hebt veel missionarissen ontmoet. Hoe oordeelden zij over de Katholieke Kerk in hun moederland?

Zij beschouwen dat als gekrakeel in een zandbak, waarbij vernieuwingen worden voorgestaan die zij in hun missiegebieden allang in praktijk brachten. De priester daar staat geïntegreerd in de wereld, zoals dat heet. Priesterarbeiders bijvoorbeeld? Zij zeggen: wij zijn dat allang. Ze vonden De Nieuwe Linie heel wat minder schokkend dan ik gedacht had. Ons theologisch doordenken resulteert ten slotte in praktijken die daar allang bestaan. Bij anderen trof ik een ambivalentie aan: enerzijds een onrust van 'achter onze rug wordt het huis afgebroken', anderzijds, vanwege het feit dat in die verre landen de kranten uitvoerig schrijven over de Nederlandse katholieken als de avant-garde van de wereldkerk, een nationale trots. Over het celibaat heb ik de missionarissen ook gevraagd hun mening te geven. Ze willen voor zichzelf geen enkele concessie. En ze zeiden: Als die ontkoppeling er komt, van ambt en celibaatsplicht, dan moeten ze wél weten dat ze dan nooit zo ver het binnenland in kunnen als wij. Bekeren is er overigens niet meer bij. Ze hadden, wie ik ook sprak, allemaal maar één antwoord op de vraag waarvoor ze er waren: om de liefde present te stellen. Eén voorbeeld: een man daar, met meer dan één vrouw, die hij slaat, krijgt op den duur toch een andere kijk op de vrouw. Door de nonnetjes. Dat zijn ook de vrouwen. Daar leert hij van dat die meer weten en kunnen dan hij. Hij ziet voor het eerst een vrouw in een superieure gestalte. Als hij voortaan nóg zijn vrouw slaat, slaat hij niet meer *de* vrouw, maar *een* vrouw, de zijne. En zijn zoon zal later *geen* vrouw meer slaan.

Een van de voordelen van het reizen per vliegtuig is dat je intussen wat kunt schrijven. Ik heb dat ook in de trein geprobeerd, maar thuis had ik dan de grootste moeite om te ontcijferen wat er eigenlijk stond, vooral bij die gedeelten waar we over wissels gereden waren. Je zou uit zo'n handschrift het traject van de trein precies kunnen vaststellen en dat is ook inderdaad gebeurd toen de moordenaar van Ilse Römer gegrepen werd. De man woonde in Keulen en het meisje werd in Bonn vermoord. Zijn alibi werd ontmaskerd door een brief die hij in de trein *doorlopend* geschreven had, want dat is natuurlijk een voorwaarde. De onleesbaarheid hiervan viel nauwkeurig samen met de kruisingen van de rails, die zich onderweg hadden voorgedaan. Men kon uit het schrift de bochten naar links of naar rechts precies aflezen en bij het afremmen vertoonden de letters de neiging zich naar boven te verlengen. De man ging voor de bijl. Nog eens, zo'n brief moet *continu* geschreven zijn. Houdt men af en toe op, dan klopt het niet meer. Overigens heb ik het geval van Ilse Römer maar bedacht. Het meisje heeft nooit bestaan en ik wil geen moord op mijn geweten hebben.

Mijn bestemming is Canada, waar ik een paar lezingen moet houden. Ik ben er nog nooit geweest. Het zal wel weer tegenvallen. Onbekende landen zijn voor mij altijd een teleurstelling. Je hebt er een bepaalde voorstelling van en die klopt dan niet. Mijn idee van Canada is een uiterste aan primitiviteit. Ik verwacht dat de bewoners mij uit sneeuwhutten tegemoet zullen treden en elke lezing in berevlees betalen. Na een bijzonder geslaagde voordracht krijg ik van de penningmeester een volledig rendier in handen gedrukt. Laat u maar zitten, we hebben genoten. Ik weet nú al dat dit niet gebeuren zal. De moderne techniek heeft wel tot gevolg dat je overal razendsnel arriveert, maar tevens dat je er ook overal hetzelfde vindt. Wolkenkrabbers, liftboys, efficiënte hotelkamers, brillen, gebitten en comfort. Naarmate de mogelijkheden om ergens te komen zijn toegenomen verdwijnt ook de reden waarom je erheen zou gaan. In Japan heb ik me een ongeluk gehold om nog ergens een Japanner te vinden en toen ik die eindelijk te pakken kreeg had hij zich alweer omgekleed. In Canada zal het wel net zo zijn en het foldertje dat de stewardess mij in handen drukt, doet ook het ergste vrezen.

De meeste Europeanen, zo begint het drukwerkje, hebben van Canada een verkeerde voorstelling. Als ik zoiets lees krijg ik het al benauwd, want ik weet precies wat er nu komt. Canada, zo vervolgt de schrijver dan ook, doet voor Europa volstrekt niet onder. Het is een modern land, waar men van wanten weet. Jammer. De produktie van staal en beton is er enorm toegenomen, het rioolwezen mag er zijn, de verwerking van plastic voor woningbouw overtreft zelfs die van Engeland. Wie in Ottawa of Toronto, waar een eeuw geleden nog Indianen op buffels schoten, door de straten loopt, waant zich in het westen van Europa, enz. enz.

Zo'n vliegtuig heeft geen noodrem, anders zou ik eraan trekken. Doorvliegen is het enige, maar voor mij is de aardigheid er al weer af. Zulke inlichtingen worden door de verkeerde mensen geschreven. Ik zit niet de hele dag in een vliegtuig met de bedoeling om aan de overkant hetzelfde aan te treffen als bij ons. Ik hoop dat het er anders zal zijn. Nu dit niet het geval is, zit ik er voor aap.

De wereld wordt steeds eenvormiger. De jongens in Afrika lopen al volledig in C & A rond, het tandbederf bij de Laplanders neemt zienderogen toe en de Eskimo's beginnen ook al te brillen. Ik kan daar wel supersonisch uit de lucht naar beneden vallen, maar enig motief voor die haast is niet aanwezig. Vroeger was het een vreselijk getob om in Canada te komen. Je zat maandenlang in een benauwd kombuis, maar als je er broodmager aan land stapte dan zag je ook wat. Nu wordt mij in het foldertje toegezegd, dat ons bij aankomst in Ottawa een roltrap wacht en dat is precies de manier waarop ik er in Schiphol ben ingekomen. Er zal ook wel een comité van ontvangst zijn. Deze heren verwelkomen mij niet in berehuiden, maar hebben dezelfde pakken aan als ik, met vermoedelijk een borstrok meer, want het is daar aan de frisse kant. Hiervan echter, zo legt het foldertje uit, valt niets te merken, want de hotels zijn er ondergronds verwarmd.

Mis, vrienden. Als ik die dingen moest schrijven zou ik het anders doen. Ik zou om te beginnen zeggen, dat het daar helemaal niet op Europa lijkt. Wie om comfort geeft, doet verstandig met thuis te blijven. Geloof maar dat het vliegtuig dan stampvol zou zitten, want de mensen zijn doodmoe van al die dingen waardoor ze niet meer moe worden. Nu zit ik er vrijwel alleen, want de Europeanen zijn niet gek, die vliegen niet helemaal naar de overkant om geen enkel verschil te merken. Op het vliegveld zou ik wat ruige kerels met honden zetten, die mij in een kruiwagen naar een plaggenhut reden. Na hier wat soep gedronken te hebben uit de schedel van een verslagen Indiaan zou ik mijn eerste lezing houden in een houten keet. Mijn ruwe scherts bevalt die onbedorven natuurkinderen. Ik dring steeds dieper in het binnenland door en langzamerhand beginnen de Canadezen te begrijpen dat ze hogerop moeten. Mijn humor wordt fijner en de mensen gaan zich al een beetje wassen, hier en daar wordt er een nagel geknipt, een enkeling trekt al een broek aan. Maar nu moet ik ophouden, want intussen bèn ik aangekomen. Een roltrap heeft mij naar een plastic ruimte gebracht, waar een vijftal heren mij correct ontvangen hebben. De volgende dagen zullen wel druk zijn.

En hier staan we dan, na uren rijden door de bittere kou, aan de Canadese kant van de beroemde Niagara-waterval. Het is een donderend lawaai. Mijn gastheer schreeuwt me in het oor dat ik rechtuit moet kijken, maar ik zie niets. We staan in een wolk van schuim en mijn bril is volkomen beslagen. Ik zet hem af, maar nu zie ik nog minder. Ik veeg de glazen schoon en zet de bril als de bliksem op mijn neus. Maar in die ene seconde is hij alweer helemaal beslagen en ik zie nog steeds niets. Hij legt me gillend uit hoe mooi het is en ik knik blij, want ik wil niet de indruk wekken ondankbaar te zijn. We vinden een cafeetje in de buurt en achter de ramen kan ik het grootste lek van de wereld op mijn gemak bekijken. Op die afstand ziet de waterval er precies uit zoals op de foto in de Winkler Prins en dat is geruststellend, want ik stel er prijs op dat die dingen kloppen. Van dichtbij, legt mijn vriend me uit, weet je niet wat je ziet en daar houd ik niet van. Zo kan ik het best aan en de koffie is uitstekend.

Het is de gewoonte in Canada om, als je pas getrouwd bent, naar de Niagara-waterval te gaan. Elk jaar staan hier drie miljoen jonggehuwden tegen die grijze muur van water op te kijken en aan de Amerikaanse kant kijken vijf miljoen paartjes naar beneden. De beste psychologen aan beide zijden hebben zich afgetobd om dit gebruik te verklaren, want er moet natuurlijk een reden voor zijn. Men meent die gevonden te hebben in het ontzaglijk geweld, waarvoor die twee mensen zich plotseling geplaatst zien. Zij ondervinden een gevoel van hulpeloosheid. Het gevolg hiervan is dat zij zich nauwer met elkaar verbonden voelen. Ik vermeld dit maar even, omdat louter natuurgeweld nooit interessant is. Pas door het effect op de mens wordt het de moeite waard.

Een ander effect is de waaghalzerij. Vanaf 1901 tot 1960 hebben zich zeven mensen in de waterval geworpen. Drie ervan zijn in de onderneming gestorven, vier hebben het overleefd. De eerste was een vrouw. Zij heette Anne Taylor en haar beroep zult u in dit verband nooit raden. Zij was . . . onderwijzeres. Op 24 oktober 1901 kroop zij in een eikehouten ton en kwam ongedeerd naar beneden. Het hoofd van de school, die dit niet tot haar werkzaamheden rekende, ontsloeg haar en zij stierf twintig jaar later als bedelares. Zij was toen 63. In 1911 stapte de 55-jarige Bobby Leach in een ton van staal, maar kwam er minder goed van af. Met een gebroken kaak en twee verbrijzelde knieën bracht hij 23 weken in het ziekenhuis door. Hij toerde met zijn ton de wereld door en verdiende goed geld. Zijn einde was tragisch van futiliteit. In Melbourne gleed hij uit over de schil van een sinaasappel en stierf twee dagen daarna, op 28 april 1926. Dan komt er een Engelse kapper, Charles Stephens, 58 jaar oud. Zijn ton werd op 11 juli 1920 verbrijzeld en men vond alleen zijn rechterarm terug. Beter verging het de 37-jarige Jean Lussier, die een rubber bal koos en op 4 juli 1928 naar beneden viel. Hij bleef ongedeerd. Dan probeert het een Griek, George Stathakis. Hij is precies 46 jaar als hij op 5 juli 1930 in zijn ton naar beneden suist. Een etmaal lang bleef de ton onder water in de trog van de cataract en hij stikte. In 1951 bouwde William Hill een vlot van autobanden, liet zich daarop vastbinden en suisde op 5 augustus van dat jaar naar omlaag.

Een half miljoen mensen stonden te kijken. Het geval werd in stukken gereten en van Hill bleef niets over ... Hij was 49 jaar.

Ik vermeld telkens de ouderdom met enige nadruk, omdat de gemiddelde leeftijd van die zes mensen mij verrast. Deze bedraagt 48 jaar en dit is een leeftijd waarop men zulke dingen hoofdschuddend leest en zich over de jeugd verbaast. Het is vreemd dat alle zes krankzinnigen mensen van middelbare leeftijd waren, terwijl de jeugd aan de kant stond. Knip dit uit, jongens. Het is een aardig argument als vader morgen weer beweert dat je vóór je vijftigste je hersens niet bij elkaar hebt. En met de zevende zit je ook snor, want dit was een jongen van ... zeven jaar. Hij is nu negentien, want het gebeurde op 9 juli 1960. De gebeurtenis staat bekend als 'The miracle at Niagara' en is inderdaad een wonder.

Op die zaterdag roeide een jongetje, Rodger Woodward genaamd, op het meer aan de bovenkant van de hoefijzerwaterval, die de grootste is van de twee. Hij passeerde de fatale lijn, die met kurken is aangegeven. Eenmaal voorbij dit 'point of no return' was er geen redden meer aan. De boot sloeg om en het kereltje schoot, gelukkig met zijn zwemvest aan, als een pijl naar de rand. Door zijn lichte gewicht werd hij echter zóver naar voren gesmeten, dat hij als het ware op de uiterste kam van de golf reed en ook buiten de zuiging van het neerstortende water in de diepte plofte. Hij kwam ongedeerd weer boven en werd door een boot opgepikt. Het kereltje mankeerde niets.

Ik geloof niet dat wij in de toekomst nog koene daden van reeds kalende mannen mogen verwachten. Het heeft geen zin iets te doen wat een kind van zeven jaar perfect heeft voorgedaan. Men kijkt nu alleen naar die blinkende wand van vloeibaar staal. Tenzij men een bril op heeft. Dan ziet men niets.

Uit Hollywood (Californië), augustus 1968
(Aan de rugzijde van een gekleurde prentbriefkaart voorstellende de Hollywood Bowl, een openlucht-amfitheater met 20 000 zitplaatsen.)
De eerste lezing is achter de rug, je ziet me aan de ommezijde in mijn goeie goed bezig, dag!

G. ·

Ver van huis en toch dichtbij

Grand Rapids, in de Amerikaanse staat Michigan, is een stad van een kwart miljoen inwoners en ruim 70 percent daarvan bestaat uit mensen van Nederlandse afkomst. Het is een vreemde ervaring. Je vliegt met de Pan American de oceaan over en komt na veel tobben in treinen en bussen in een plaats terecht, waar de meeste voordeuren en winkelruiten Nederlandse namen dragen, alsof je helemaal niet vertrokken bent en de enorme reis in een droom heeft plaats gevonden. De plaatsen eromheen heten Arnhem, Beverwijk, Holland, Vollenhove en Noordeloos en als je voor de bewoners daarvan een lezing houdt, sta je telkens voor een zaal die de spreker perfect verstaat en hem in alle nuances volgen kan. Woonden die mensen er pas, dan zou dat niet merkwaardig zijn. De kolonie is echter gesticht in 1843 en veel van mijn toehoorders hebben Nederland nog nooit gezien. Wat heeft het nationale karakter van die Hollandse gemeenschap bijeengehouden? De godsdienst. En meer speciaal: de Gereformeerde Kerk van Nederland, dat is dus die geloofsrichting, die steunt op de Heidelbergse catechismus en de oudste statuten van Dordt.

Het is jammer dat ik dit stuk schrijven moet in het vliegtuig van Melbourne naar Bangkok, want de eerste tien uur mag ik er niet uit en kan ik ook niet bij mijn koffers komen, waarin behalve een ontstellend aantal vuile overhemden nog een boekje zit met de geschiedenis van Grand Rapids. Misschien is het ook wel beter zo, want ik zou u anders met details vermoeid hebben, terwijl het me eigenlijk maar om één gedachte gaat en dat is deze. De kolonie, die wortelt in een gemeenschappelijke levensbeschouwing, heeft de meeste kans om te blijven bestaan en daarbij haar eigen karakter te behouden. De Pilgrim Fathers zijn natuurlijk het klassieke voorbeeld en de mormonen in Salt Lake City, maar ook onze eigen geschiedenis biedt een kras staaltje in de Hernhutters of Moravische Broeders, die het in Suriname hebben uitgehouden toen iedereen allang de benen genomen had. Komt men alleen om geldelijk gewin, dan is er geen enkele reden om te blijven als die verwachting niet in vervulling gaat. Maar wie ergens voet aan wal zet in de mening dat God hem daar hebben wil en met een boodschap die tot *elke* prijs gebracht moet worden, die blijft, hoe beroerd het hem ook gaat, want er staat iets op het spel dat onafhankelijk van materiële welvaart is. En het was in deze bezieldheid dat een dominee uit Arnhem met een stelletje doodarme mensen hier aankwam. Hij heette Van Raalte en het jaar was 1843.

In onvoorstelbare moeilijkheden, maar zonder ook maar een moment te versagen heeft dit groepje diep overtuigde gereformeerden de grondslag gelegd voor een van de bloeiendste steden van Noord-Amerika, met als een parel in het midden van de stad het befaamde Calvin-college, genoemd naar Calvijn. En de reden waarom de stichters en hun nakomelingen hun oorspronkelijke taal behouden hebben is de Statenbijbel geweest. Driemaal daags werd er thuis uit voorgelezen en zondags zongen ze in hun houten kerk de Nederlandse psalmen. En dit is ook de ijzeren band geweest, die deze mensen tot een onwrikbare groep geklonken heeft. Ze konden niet, zoals met ontelbare andere kolonies gebeurd is, in de Amerikaanse lucht verdampen, want over het water lag de solide ijskorst van

Gods woord in de Nederlandse taal. Er was een vrouw bij, vertelde een van de huidige dominees me, die tot haar dood nooit een Engelse zin gesproken heeft en weigerde om ook maar één woord in zich op te nemen. Zij verdedigde die houding met de opmerking: 'Als ik Engels praat, hoe kan de Heer me dan verstaan?' Hier mag dan weinig vertrouwen uit spreken in de talenkennis van het opperwezen, het tekent de situatie. Dit is nu natuurlijk grondig veranderd. Het Engels van deze kolonisten is van dat der omgeving niet te onderscheiden, alleen het Nederlands binnenskamers wordt elk jaar weer een beetje knauweriger.

De geschiedenis van Grand Rapids is er een van theologische twisten geweest. Dominees worden afgezet om nuances, die het ongeoefend oog ontgaan, hele gemeenten scheiden zich af om een interpretatie der genadeleer, die maar een haarbreedte verschilt van die der oude parochie, ouderlingen lopen ziedend weg en diakenen gooien het bijltje erbij neer omdat dominee op dit stuk te streng, te laks, te stellig of te 'bevindelijk' is. Heel het leven schijnt er te draaien om de grote wielnaaf van het gereformeerde denken: het vraagstuk van de vrije wil. Het is of je terug bent in de tijd van de arminianen en de gomaristen, de remonstranten en de contraremonstranten, de kokskianen, de geelkerkers, de puttianen, alsof al dit fijne speuren in Gods bedoelingen, dat zoveel duizenden Nederlandse levens vergiftigd heeft, weer in een korte film wordt afgedraaid.
'Vergiftigd' neem ik terug. Het moet met alle ellende toch ook een immense vreugde gegeven hebben om met nog een timmerman en een metselaar, met z'n drieën dus, de gedachtengang van de Schepper te mogen doorgronden om daarna samen in een lokaaltje bij

elkaar te komen, de deur stevig op de grendel tegen alle ketters uit de vijf werelddelen en de Handelingen opengeslagen op die éne zin van Paulus, die wij alleen begrijpen. Ik bemin die mensen niet zozeer, maar een zeker respect kan ik hun toch niet onthouden. Het zijn dezelfde jongens die een goed deel van het verzet in de Duitse tijd op hun schouders genomen hebben en zij zijn het ook die daarginds, duizenden kilometers van ons vandaan, een stukje Nederland over de Amerikaanse grond hebben uitgerold dat anders allang was omgeploegd.

Door het oog van een naald

In Honolulu, dat op een van de Hawaii Eilanden ligt, is het mij niet bevallen. Je moet er een allemachtig eind voor vliegen en als je er dan neerkomt is het al meteen nep. Er treedt een schalks geklede dame op je toe en die hangt een bloemenkrans om je nek. Dit is een Hullah-meisje en de plaatselijke vvv heeft daar een paar honderd van voorradig, die in toerbeurten de binnenkomende vliegtuigen bedienen. Men wordt dan verondersteld terug te kijken met het gezicht van iemand die ze bruin gaat bakken en dat is niet mijn sterkste kant. Ik bedoel nu niet zozeer het bakken, want och, dat is wel op te brengen, het hele eiland is er ten slotte voor ontworpen; de veronderstelling echter dat je niets anders aan je hoofd hebt is min of meer beledigend, omdat hier obligaat gezien wordt wat alleen vrijwillig gebeuren kan. De term Hullah-meisje ligt in dezelfde orde van enigszins verplichte losbandigheid, die op mij persoonlijk bevriezend werkt. Ik trek meteen het gezicht van een houten klaas en slof suf naar de gereedstaande bus, want op dit terrein is elke vorm van jachten mij vreemd.

In het hotel heerst dezelfde voorbarige feestelijkheid. De portier geeft me het knipoogje, dat op het Thorbeckeplein alleen voor de geboren schuinsmarcheerder gereserveerd wordt en als ik met mijn kamersleutel de lift instap oogt de man van de receptie mij na met het gezicht van iemand die zich de orgie daarboven levendig voorstellen kan. Zelfs in de blik van de liftboy ligt de stille verstandhouding van mannen onder mekaar, die zich liever de tong afbijten dan erover praten zullen en de bediende die ten slotte de kamerdeur zwierig opent treedt niet naar binnen, maar verwijdert zich glimlachend, alsof hij wel weet wat daar door de directie in het ledikant is neergelegd. Waarom werkt dat allemaal irriterend? Omdat het twijfel aan de potentie van de hotelgast verraadt. De ware bordeelsluiper heeft deze aanmoedigingen niet nodig en elke por in die richting openbaart gebrek aan vertrouwen in het persoonlijk initiatief van de bezoeker. Ook is het beledigend om te merken dat het doel van uw visite bij al die mensen reeds tevoren vaststaat. Dit wekt weerspannigheid, ook al zouden ze gelijk hebben. Was hier een getijdenboek te koop, ik zou in de hal van het hotel ostentatief brevieren gaan.

Intussen is geen van beide mijn bedoeling. Ik kom hier alleen maar om tussen mijn lezingen in Los Angeles en Melbourne halverwege eens uit te stappen, want langer dan acht uur houd ik het in zo'n vliegtuig niet uit. Honolulu wordt voornamelijk bezocht door Amerikaanse zakenlieden, die er genoeg van hebben achter een bureau te zitten en op een andere wijze doodop willen worden. Niets immers is afmattender dan verveling. Ik heb deze ongelukkigen op het dak van het hotel, waar nog enige ruimte is, in de meest boeiende staten van bewusteloosheid aangetroffen. Een vaak toegepaste is deze, dat men met zijn blote buik in het grind om een betonnen vijvertje ligt onder de brandende zon in de mening dat hiermee een vorm van ontspanning beoefend wordt. Deze tijdpassering, die per buik op ongeveer drieduizend dollar komt te staan, wordt des avonds afgewisseld met het zitten in een bijna volstrekt donker lokaal, waar men geen hand voor ogen zou zien als niet om de drie tafeltjes een kaars in een met veel stolsel ontsierde wijnfles was aangebracht. In dit spookachtig hol kijkt men elkaar verbijsterd aan. Van enig gesprek is immers geen sprake, daar zich hier tevens drie trompetters hebben opgesteld, die ervoor zorgen dat de ruimte constant met geluid wordt volgeblazen. Men zit ook niet op stoelen, maar op wijnvaten en kan dus niet leunen. Om tot deze marteling te worden toegelaten betaalt men aan de ingang vijf dollar en het is er dan ook stampvol met kapitaalkrachtigen, die zich zitten te verkneukelen om het feit dat andere mensen dit niet betalen kunnen en dan ook gedwongen zijn zich naar een rustig café met behoorlijk licht en gemakkelijke stoelen te begeven. Men staat verbaasd tot welke kwellingen een mens bereid is, als hij maar zeker weet dat deze exclusief worden toegepast.

Ik moet echter toegeven dat van tijd tot tijd een knorrige ober de mensen tegen elkaar drukte, zodat er een kleine cirkel ontstond waarin een dame wat onduidelijke bewegingen maakte, die in het programma als buikdans omschreven stonden. Een gezet heer naast mij knikte me hierbij veelbetekenend toe en zei: 'Dit zie je *alleen* in Honolulu', zonder te vermoeden hoezeer hij daarin gelijk had. Eigenlijk zijn rijke mensen aandoenlijk. Hun kleine hand is zo spoedig gevuld met genoegens die minder bedeelden met beslistheid weigeren zouden, dat men hun een zekere kinderlijkheid niet ontzeggen kan. Ook hun offervaardigheid wordt gewoonlijk onderschat. Reeds op aarde zijn zij bereid door het oog van een naald te gaan.

Wie ooit het boek van Jules Verne *De reis om de we-*
reld in tachtig dagen gelezen heeft, zal wel gemerkt
hebben dat de hoofdpersoon, de heer Phileas Fogg, helemaal niet reist. Je kunt hoogstens zeggen dat hij zich
verplaatst. Zien doet hij niets, hij wacht alleen op de
volgende verbinding. Een zelfde lot is mij beschoren,
met dit verschil dat ik het in een maand doe. Doordat
ik bovendien boven de wolken vlieg zie ik onderweg
nóg minder dan de heer Fogg. Daar staat tegenover dat
ik in die enkele plaatsen waar ik neerkom wat meer
tijd heb, want het is bij de vliegerij hollen of stilstaan.
Zo had ik in Grand Rapids, Mexico City en Honolulu
telkens een paar dagen om uit te blazen, evenals in
Sydney, Melbourne, Bangkok en Hong Kong. Ik ben nu,
terwijl ik dit schrijf, in Abadan, een negorij in de Perzi-
sche woestijn en vlieg morgen naar Tel-Aviv in Israël.
Als me dan de sprong naar Schiphol nog lukt ben ik precies de aarde om gevlogen, dat is, de omweg naar Australië meegerekend, vijftigduizend kilometer. Gek-
kenwerk natuurlijk. Toch had ik het voor geen goud
willen missen. Je leert een paar dingen die je tevoren
niet wist.

Allereerst het treurige feit dat het overal mis is. In het
ene land iets minder dan in het andere, maar goed zit
het nergens. En uit de ontmoeting met de enorme pro-
blemen waar de mensen mee worstelen, groeit gaandeweg een zekere dankbaarheid dat je in Nederland
woont. Dit klinkt nogal burgerlijk, maar dat is geen
reden om het niet op te schrijven. Af en toe valt je een

Hollandse krant in handen en dan zie je een optocht van protesterende studenten. Waarover het dit keer gaat weet je niet, maar je denkt: bij ons mag je *a.* studeren en *b.* protesteren. Er zal dan nog wel veel te wensen over blijven en ik wil dat vooral niet bagatelliseren, maar in de landen waar ik doorheen gekomen ben zijn ze voor het merendeel aan die twee punten niet eens toe.

Onze ontevredenheid begint op een niveau dat daarginds tot de wensdromen behoort. Het bezit van zes universiteiten, waar de gelegenheid tot gratis studeren ruim voorhanden is en de mogelijkheid om vrij op straat van je ongenoegen blijk te geven onder politioneel toezicht gewaarborgd wordt, dat zijn in die landen twee stations aan de verre horizon. Je kunt zelfs moeilijk beweren dat die mensen daarheen onderweg zijn, de reis is nauwelijks begonnen, in veel gevallen zijn ze nog niet eens vertrokken. Ik wil daarmee niet zeggen, dat wij ons met schijnproblemen bezighouden. Binnen het kader van onze welvaart zijn ze reëel genoeg. Men leert alleen beseffen dat dit kader ginds een nauwelijks te omvatten ideaal is, dat alleen door de stoutmoedigste hervormers gekoesterd wordt. Met andere woorden: ons misnoegen begint waar het hunne eindigen zou als ze ooit zo ver komen mochten.

Het is mij dan ook niet mogen gelukken om de Nederlandse kolonies in bijvoorbeeld Bangkok, Hong Kong en Teheran, die zich door onvoorstelbare moeilijkheden omringd zien, van de ernst der Nederlandse toestanden te overtuigen. Ik ontmoette overal dezelfde geïrriteerdheid zodra het punt van onze studentendemonstraties aan de orde kwam. Men begreep dit niet, omdat het beoordeeld werd naar de maatstaf van de ellende die men om zich heen zag. Ook als ik er niet over sprak kwamen toch de vragen uit de zaal naar voren, kwaad, bitter en altijd schamper, alsof we ons daarvoor schamen moesten. En ik moet erkennen dat in de dampkring van armoede en onvrijheid die je daar inademt, dit gevoel ook bij mij langzaam naar boven kwam.

Nu ik terug ben zal het me na een paar weken wel weer lukken om deze dingen in hun volle zwaarte van de grond te tillen. Ik vrees niettemin dat een zeker vermoeden van betrekkelijkheid mij bij zal blijven. Men kan hier tegenin brengen dat een vergelijking met minder bedeelden daarom irreëel is, omdat wij nu eenmaal verder zijn. Elke hervorming dient uit te gaan van het punt dat plaatselijk is bereikt. Volkomen juist. Daarom raad ik de leiders van deze beweging dringend aan om, willen zij hun stuwkracht behouden, in geen geval op reis te gaan, in welke richting zij zich ook bewegen mogen.

In Hong Kong beleefde ik iets merkwaardigs. We hadden met ons drieën afgesproken om tegen zeven uur in ons hotel te eten en ons daarna in het nachtleven te storten. Na al die lezingen wilden we eens een dolle avond hebben, want zoveel hadden we van Hong Kong al wel gezien dat het geen Purmerend was.

Op het vastgestelde uur kwamen ze eens kijken waar ik bleef en vonden me in diepe slaap op mijn hotelbed uitgestrekt. In de goedheid huns harten besloten ze de uitgeputte spreker niet te wekken en samen te dineren. De volgende ochtend werd ik om vijf voor zeven met een schok wakker, keek op mijn horloge en repte mij vlijtig naar de eetzaal van het hotel. Ik trof daar slechts een slaperige ober, die mij met verbazing bezag. Van mijn twee reisgenoten geen spoor. Wel was het buiten donker, want dat is het om zeven uur 's avonds ook. Een uur lang bladerde ik wat door de lokale Chinese kranten, mij daarbij tot de plaatjes beperkend, want in die taal ontgaat mij wel een enkele nuance. Intussen verkneukelde ik me op de dingen, die komen gingen. En toen beleefde ik de sensatie van mijn leven: het werd lichter! Ik zal dat moment nooit vergeten. De hoge zwarte ramen van de eetzaal vergrijsden en de 'duivenveren' hemel, zoals een Nederlands dichter – ik geloof Bloem – het uitdrukt, veranderde langzaam in het rood geaderde marmer van de dageraad. En nog drong de ware toedracht niet tot mij door. Het tekent de verwarring waarin al die tijdsverschillen van hele en halve dagen mij tijdens mijn vliegreis gebracht hadden, dat ik werkelijk dacht: we zijn hier nu zó ver van huis dat de dagen omgekeerd verlopen. Eindelijk kwamen mijn twee vrienden binnen en bestelden hun ontbijt met de enigszins verwelkte toon die alle uitgaanders beschoren is *on the day after the night before*. Pas toen begon de mogelijkheid dat ik me verslapen had zich moeizaam af te tekenen. De opgave waarvoor men zich dan gesteld ziet is deze, dat het lome avondgevoel waarin men al die tijd gezeten heeft, zich verheugend op de on-Haarlemse dingen, die het Verre Oosten te bieden heeft, plotseling moet worden omgezet in de doortastende flinkheid waarmee men de dag betreedt. Die reuzenzwaai van oude snoeperd naar wakkere borst lukte me niet, zodat ik de verdere dag in een soort verwildering heb doorgebracht. Men voelt zich als iemand die een ballet bezoekt en als het gordijn opgaat louter melkboeren en krantenbezorgers aanschouwt.

Aan Hong Kong vond ik overigens niet veel aan. Vermoedelijk is het een stad die 's nachts bekeken moet worden. Hebt u dat ook? Al die namen, zoals Damascus, Bagdad en Teheran roepen duizend-en-een-nacht-herinneringen in je op en als je er dan komt zie je wolkenkrabbers, bankgebouwen en verkeersagenten. Het geheimzinnige Oosten blijkt uit glas en beton te zijn opgetrokken. Je ontmoet er ook een Hollandse meneer en die ontkent dat. Ga maar eens met me mee, zegt hij fijntjes, dan zal ik je het *echte* Hong Kong laten zien. Want al die steden, moet u weten, hebben een 'echt' gedeelte. Je rijdt een kwartier door de asfaltstraten en onder neonbuizen en waarachtig, daar kom je in het typische Hong Kong, dat uit benzineblikken en daken van golfijzer is samengesteld. Het wemelt daar ook van toeristen, die al die blootvoeters fotograferen en na afloop weer als de bliksem in het onechte Hong Kong terugkeren om daar een bad te nemen.

Gewoonlijk heeft zo'n man ook een foto-album van Bangkok, Saigon en Rangoon, zoals die er vóór de oorlog uitzagen en *daar* zie je dan wat je al die tijd gezocht hebt: grote huizen met waranda's en pilaren, kleine huisjes van bamboe en gevlochten riet en daartussen kaarsrechte bruine mensen met manden op hun hoofd, gestoken in de eigen kleding en op hun gezichten het stille geluk van thuis te zijn. Tempels doemen op en religieuze processies trekken voorbij. Veel lommer zie je er ook en veel schaduw, waarin de intieme dingen gebeuren: spelende kinderen, een wandelend hondje, twee mannen die op een stoep een pijp roken en een vrouw die nee zegt tegen een koopman in tapijten. Daar gebeurde weinig, maar dat weinige deed men blijkbaar graag, want op iedere bladzij bloeit diezelfde mysterieuze glimlach.

Als een verpletterende wals is onze Westerse techniek over die steden gegaan en heeft telkens een boomloze blokkendoos achtergelaten, waar iedereen in een enorme haast dingen doet die hij liever achterwege liet. Liefdeloos zijn al die kolossale steden geworden. Er wonen daar nu viermaal meer mensen dan dertig jaar geleden, dat wordt er altijd bij verteld, maar het is net of het quantum onderlinge genegenheid hetzelfde gebleven is en dan ook viermaal verdund moest worden.

Ik ondervond telkens het gevoel van een groot en tegelijk irrationeel verdriet als ik zo'n album had doorgebladerd en mij daarna op straat begaf, want heel die innigheid bleek daar volledig verdampt te zijn. Ik zeg met nadruk irrationeel, want die melancholie is op geen enkele manier te verdedigen. Het moet zo zijn.

Juist door die antiseptische benadering van het leven blijven al die miljoenen mensen voortbestaan. De reden waarom ze dit zouden doen wordt echter steeds minder. Hun existentie verlengt zich naarmate het motief daartoe verzwakt. Zij bevinden zich op een lijn die naar een inhoudloze eeuwigheid voert. Maar ergens op die lijn is een punt waar ze zich afvragen: waarvoor ben ik er eigenlijk? Op datzelfde ogenblik storten al die gebouwen ineen.

Uit Hong Kong, 22 oktober 1968
(Aan de rugzijde van een prentbriefkaart voorstellende het schip Tjiluwah/Tjiwangi)

> *Flinkmans heeft op deze boot een lezing gehouden voor de ruige pikbroeken, die dan ook niet aarzelden de spreker na afloop overboord te werpen. Nu nog Abadan, Ankara en Tel-Aviv en dan ligt de warboel achter de rug.*
>
> G.

Na mijn lezingen in Karachi, Abadan en Teheran,
waar de douane telkens moest omgekocht worden om
de televisiecamera's van de NCRV erdoor te krijgen, was
de luchthaven van Tel-Aviv een verademing. Je komt
uit het romantische oosten en staat opeens in een nuch-
ter en efficiënt stukje Westen en geef mij dat maar.
Het is wel aardig om over die jongens die alle tijd hebben een bladzijde opgetogen proza te lezen, maar zit je
er midden in dan is het om dol te worden. De moeilijkheid van zulke landen is de kleine slimheid die er doorlopend beoefend wordt. Iedereen is op zijn onmiddellijk voordeel uit en daardoor staat de boel stil. Al die
mensen leggen zich toe op de korte sprint, niemand
loopt er de marathon. De optelsom van die slimmighe-
den is een complete chaos. Al die pientere jongens leven in bittere armoe, omdat elke poging om daar bo-
venuit te komen door corruptie weer ondergraven
wordt. Hele dagen hebben we er doorgebracht in zinlo-
ze onderhandelingen met dure mannen, die onder hun
gouden uniformpetten maar één gedachte hadden: hoe
draai ik de ander een poot uit? Het idee op zich is
bekoorlijk en geeft ook stof tot kleurige gesprekken;
maar omdat niemand aan iets anders denkt en de
slachtoffers de desbetreffende poot stijf houden, gebeurt er volstrekt niets. Toch kun je niet zeggen dat
die mensen lui zijn, want ze praten zich een ongeluk.
Als echter de helft van die energie gebruikt werd om
de dingen gewoon te *doen*, waren ze allang boven Jan.
Het beroerde is dat de flinke dingen die wij daar gebracht hebben, zoals spoorwegen, vliegtuigen en fa-

brieken, op een 'afspraak' berusten. De bedoeling is dat men snel handelt en zich daarbij correct gedraagt. Heel die apparatuur wordt echter met een oosterse mentaliteit bediend. Aan al die knoppen staat telkens een meester in de conversatie, die er een boeiend dagje van maakt eer hij bereid is hem in te drukken. Maak je je kwaad, dan ben je helemaal in de aap gelogeerd, want dan trekt hij er een week voor uit. Het is allemaal heel typisch en kenners van de oosterse volksziel kunnen er ook echt van genieten. Dit is echter het standpunt van de toerist, die niets om handen heeft. Mij was dit genoegen ontzegd, omdat ik in de ongelukkige positie verkeerde er iets te moeten doen.

In Tel-Aviv keek de man van de douane even in mijn koffer en tekende toen met een kruis het deksel af. *'Allright'* zei hij zakelijk, *'the next one'*. In de taxi stond de meter niet vooraf al op een fiks bedrag en in het hotel bracht een meneer me gewoon naar mijn kamer, zonder dat ik onderweg al zijn familieleden in berooide toestand was tegengekomen. Ik wist niet hoe ik het had, want Israël behoort ten slotte tot het Nabije Oosten. Geografisch gezien verwacht je niet dat de dingen werkelijk gebeuren. Bekijk je het echter etnografisch, dan woont hier een wakker volkje, dat na tweeduizend jaar afwezigheid weer orde op zaken stelt. Omringd door een hoop praters zit daar opeens een stelletje doeners bij elkaar en dat is een welkome afwisseling. Ik heb er twee lezingen gehouden.
Een in Tel-Aviv, de andere in Nes-Amim en die hield ik zo maar, uit sympathie. Nes-Amim is de enige christelijke kibboets in Israël en wordt gesteund door de protestantse kerken van Nederland. Veel was er nog niet van de grond gekomen, er stonden wat loodsen en

werkplaatsen en het aantal stenen huisjes was na zes jaar werken tot drie opgelopen. De bedoeling is intussen wel aardig. Geen zendingswerk maar gewoon meedoen met de joden om de 'dialoog' in stand te houden. Goed gezien, dacht ik, want we hebben tegenover dit volk wel iets goed te maken. Ik zou dan echter een wat krachtiger aanpak wensen. Nes-Amim is verreweg de kleinste kibboets in Israël. Er wordt door de joden over gesproken met de vertedering waarmee men een kleuter over de bol aait en dat hoeft niet met zo'n lap vruchtbare grond. De watervoorziening is ronduit slecht, de behuizing gebrekkig, het idealisme der bewoners daarentegen voorbeeldig. Wat er mankeert is geld. Een betere besteding is moeilijk denkbaar.

Wat die bewoners betreft, er waren er hoogstens twintig en daarom trommelde men voor mijn lezing ook die van Nahariya en Regba op. De spreker heeft zeer genoten. Niet gehinderd door camera's en ontijdig aflopende geluidsbanden praatte hij er onbevangen op los en smaakte na afloop het genoegen de plaatselijke schaakkampioen met een door hemzelf nauwelijks begrepen combinatie van het bord te vegen. De volgende dag kreeg ik een fraai gekalligrafeerde oorkonde waaruit bleek dat uit mijn naam in Israël niet minder dan twintig bomen gepoot zouden worden. In Tel-Aviv plantte men er nog een dertigtal bij. Dat zijn er samen al vijftig. Israël is het enige land waar ik met ere mijn achternaam draag.

Gisteren zat ik op het terras van een klein café op de Boulevard Montparnasse en beschouwde in een zalig nietsdoen de voorbijtrekkende menigte. Tussen ons gezegd: de mannen zijn niet veel zaaks. Ik bedoel dit zuiver vanuit het standpunt hunner kledij. Hoeden, dassen, schoenen en overhemden, zij schijnen alle inderhaast te zijn aangetrokken in de volgorde, waarin ze toevallig bij het aankleden voor de hand lagen. Er loopt een enkele 'beau garçon' tussen, die bij de keuze zijner garderobe enige oplettendheid heeft betracht, doch dit is een zeldzaamheid. Zoveel te meer echter bekoren de dames het oog.

Ik schat de tijd die een Parisienne voor haar kapspiegel doorbrengt vóór zij de straat durft opgaan op ruim twee uur. Het resultaat is een geraffineerd samenstel van kleuren, van welke sommige zich zelfs, evenals bij een futuristisch schilderij, buiten de lijst voortbewegen. Aldus de hondjes en de kinderen die de Parijse vrouwen met zich mee voeren en wier uiterlijke verschijningsvorm zó is ontworpen dat zij een onmisbare bijdrage leveren tot de indruk van het geheel.

Zie, daar nadert een dame met een groene hoed, een felrood jasje en een grijze rok. Aan een blauwe riem trekt zij een inktzwarte poedel voort. Vanaf het terrasje stijgt een goedkeurend gemompel op. Juist de afstand tussen dit zwart en de gewaagde compositie, waarop het een aanvulling vormt, is met meesterschap gekozen. Het zou niet anders kunnen, het zou zelfs niet anders mogen: laten wij er niet aan denken.

De dame vlak achter haar daarentegen drukt een

blauwachtig hondje vast tegen zich aan. Ook dit is artistiek volkomen verantwoord. Want het zilvergrijs van haar bontjasje gedoogt niet dat er ruimte zij tussen haar en het hondje.

Maar let op, nu zweeft er, vanuit de verte, een bijzonder gewaagde compositie nader. Het wordt stil aan de tafeltjes om mij heen. De dame zelf is in uiterst gedurfde kleuren ontworpen en zij zou reddeloos verloren zijn indien zij niet een kindje aan de hand met zich meevoerde. Het kind is geheel in paars gedacht en uitgevoerd. Samen vormen zij een geheel dat het oog verrukt. Doch zie, nu gebeurt er een ongeluk. Het kindje, zijn taak een ogenblik niet begrijpend of een seconde uit het oog verliezend, dribbelt naar links, terwijl de moeder gedachteloos naar rechts uitwijkt. Er stijgt een kreet vanaf het terrasje op. Allen bedekken we onze ogen: de dame is tot een levende vloek geworden, een wandelende kakofonie van kleuren. Snel grabbelt zij het plichtvergeten kind naar zich toe: de symfonie is weer hersteld.

Overigens zijn deze kinderen in het algemeen zich van hun bestaansreden wel bewust. En nu wil ik u van hen eens een geheim verklappen: *zij spreken vloeiend Frans*. Ik zou u dit niet zo stellig verzekeren als ik mij er niet persoonlijk van had kunnen overtuigen. Er is geen twijfel mogelijk. Tot driemaal toe heb ik zo'n kleine dreumes Frans horen praten en u moet mij goed begrijpen: niet aarzelend, in moeizame thema-zinnen, zoals bij ons de kinderen, wanneer zij Frans spreken, maar vrij en frank, los, gemakkelijk en razend rap, alsof het niets te betekenen heeft. Ik moet u bekennen dat ik als aan de grond genageld stond. Ik stelde vragen, die ik mij uit vroegere thema's herinnerde, waarin de hinderlagen van onregelmatige werkwoorden verborgen waren, maar hoepla! vóór ik de zin beëindigd had, kaatste het antwoord al terug.

En nu zult u mij misschien zeggen dat dit niets bijzonders is. U zult wellicht opwerpen dat Franse kinderen natuurlijk Frans spreken, zoals bij ons de kinderen Hollands praten. Mogelijk vindt u dit zelfs heel gewoon. Maar dan begrijpen we elkaar niet. Dan ontgaat het mysterie u. Dan zijt ge niet ontvankelijk voor dit grote geheim: dat onnozele dreumessen van nog geen drie jaar een wereldtaal hanteren met een gemak en een meesterschap die ik na vijf jaren onafgebroken vlijt nog niet bereiken zal.

Vanavond wandelde ik in een stralende zonneschijn langs de linker Seine-oever. Ik ben daar graag. In de diepte stroomt het brede, grijze Seine-water en boven, schuin tegen de balustrade, staan honderden boekenstalletjes, vol met boeken en prenten, prenten en boeken, zover het oog reikt. Ik koop er nooit een van. Maar de gedachte dat ik het zou kunnen doen, als ik geld had, is al opwindend genoeg.

Vóór de stalletjes, op kleine krukjes, zitten de eigenaars. Hun voornaamste bezigheid is nietsdoen. Soms staat er een op, rochelt uitvoerig en gaat weer zitten. Tot tweemaal toe heb ik een van hen uit zijn jas een appel zien halen en uit zijn rechterbroekzak een schillenmesje. Ik hield mijn adem in. Doch hij bekeek ze beide, glimlachte toen en stak ze weer in zijn zak: de inspanning was te groot.

Wat mij in deze mensen zo bevalt, is dat zij absoluut geen moeite doen om iets te verkopen. Achter hun rug staan de volledige werken van Molière, Racine en Voltaire, in leder gebonden. Hun gedachtengang is waarschijnlijk déze: als *die* namen u niets zeggen, kan *ik* u hun betekenis niet bijbrengen. Zeggen ze u wél wat, welk nut heeft het dan mijn waren aan te prijzen? Die redenering is niet alleen gezond, maar zij getuigt ook van een grote eerbied voor de Franse letterkunde. En bovenal houdt zij respect in voor de passerende cliëntèle. Gij wordt geacht het belang dier namen te kennen. Uit het zwijgen der verkopers spreekt een stille hulde aan uw algemene ontwikkeling.

Verkopen deze zwijgers eigenlijk ooit iets? Interessante vraag! Ik ben in een cafeetje gaan zitten, vlak tegenover een twaalftal stalletjes met prenten, en heb een glas bier besteld. Zo zaten wij een kwartier lang tegenover elkaar, zij op hun twaalf krukjes, ik op mijn ijzeren stoeltje. Er werd niets verkocht. Ik bestelde een tweede glas bier. Er werd weer niets verkocht. Wel kwamen er langharige schilders voorbij, bleke studenten en blozende, oude heren. Zij allen wroetten en duimelden een ogenblik in de kostbaarheden, een enkele hield een zeldzame ets aandachtig tegen het licht. Maar er was niemand die kocht. Ik bestelde derhalve een tweetal worstjes en een derde glas bier. Onder het eten hield ik mijn overburen nauwlettend in het oog en ook zij keken zwijgend naar mij. Toen zag ik plotseling de twaalf hoofden langzaam naar links draaien. Daar, in de verte, stond een juffrouw en vroeg naar de prijs van een reproduktie van Steinlen. Wij hoorden het antwoord niet, doch zagen haar een ogenblik aarzelen. Toen schudde zij het hoofd en liep verder.

Het werd donker. Een voor een knipten de oude lantaarns langs de Seine aan en stuk voor stuk werden de stalletjes gesloten. Eén bleef er nog open en in de schemering gloeide dit stalletje, dat van binnen met een petroleumlamp verlicht werd, als een wijd geopende, goudgelige tulpenkelk. Het was een winkeltje in reprodukties naar impressionistische meesters: Cézanne, Renoir, Degas, Monet, Sisley en Pissarro. De eigenaar, een klein bultig mannetje, zat met twee anderen om de petroleumlamp uit een oranje schotel te eten. Mijn komst deed hen geen ogenblik opzien; eerst toen ik kuchte, lichtten zij de hoofden van het bord omhoog en keken mij verbaasd aan.

'Wat wenst u?' vroeg het gebochelde kaboutertje.

'Hebt u niets verkocht?'

'Niets.'

'Maar hoe is dat mogelijk?' vroeg ik, rondkijkend in deze kleine kathedraal, 'ik zie de grootste namen van Frankrijk bijeen.'

'Eh bien,' zei het mannetje, 'hebben zij ooit iets verkocht?'

In het hart van Engeland

Van de ontvangst op Buckingham Palace ben ik nog steeds een beetje beduusd, want het liep allemaal heel anders dan ik mij had voorgesteld. Je krijgt zo'n kaart met een kroontje erop en je denkt dan onwillekeurig dat de vorstin zich wel niet de hele middag, maar toch geruime tijd met je zal bezighouden. Een halfuur briljante conversatie met een van geest tintelend buitenlander, dat moet voor zo'n vrouw die haar hele leven zich met Engelsen behelpen moet, toch een belevenis zijn. Je knutselt in het geheim wat zinnen in elkaar, waaruit blijkt dat men wel degelijk zijn plaats weet, maar toch ook weer niet over zich lopen laat. Het is deze mengeling van eerbied en vrijpostigheid die de vorstin, naarmate het gesprek vordert, op de gedachte brengt: die zou hier meer moeten komen. Als ik eenmaal zover ben kan ik helaas niet ophouden. Ik stel mij dan voor dat de vorstin met een ongeduldige handbeweging de aanwezige bisschoppen, parlementsleden en vlagofficieren, die toch ook hun graantje willen meepikken, naar een belendend vertrek verwijst om zich geheel aan deze schalkse vreemdeling te wijden. Voor het eerst sinds jaren hoort men weer die hoge zilveren schaterlach, waardoor ze als jong meisje zo beroemd was en die na de mislukte aardappeloogst van 1952 praktisch niet meer vernomen werd. Als ik ten slotte ver na middernacht het paleis verlaat gebeurt er iets heel teers. De oude kindermeid van de koningin, die op een zolderkamer woont en naar wie geen hond meer omkijkt, komt op mij toegestrompeld en drukt mij zwijgend de hand. De goede ziel brengt geen woord uit, maar ik begrijp haar. Bij het hek zegt de opperstalmeester, terwijl hij het knipje losmaakt: 'komt u nog eens aanwippen,' maar ik schud het hoofd, want we moeten er nu ook weer geen pretje van maken.

Het blijkt in werkelijkheid een garden-party te zijn en de koningin heeft hiervoor negenduizend mensen uitgenodigd. Wie een dergelijke menigte op het gazon ziet aangetreden begrijpt terstond dat het onder deze omstandigheden onmogelijk is het vorstelijk oog te trekken, tenzij men zich gillend een weg naar voren zou banen. Men gaat dan bliksemsnel over tot de constructie dat het ook eigenlijk zo beter is, want wat heeft men het vrouwtje ten slotte te zeggen. Het leven is vol van dergelijke nooduitgangen en je moet ze allemaal bij de hand hebben, wil je niet telkens van spijt bezwijmen. Er is hier overigens veel te zien, want de dames zijn in de keuze van haar toiletten niet over één nacht ijs gegaan. De heren zijn in jacquet of rok gestoken, omdat de daartussen liggende dracht, die wij smoking noemen maar in Engeland met dinner-jacket wordt aangeduid, het dragen van decoraties niet gedoogt. Men droeg die in de grootst denkbare uitvoering en het mooist vind ik daarbij zo'n zilveren ster, die niet op de borst, maar terzijde van het lichaam ter hoogte van de lever wordt rondgedragen, hoewel zo'n schuin lint over de hele breedte van het bovenlichaam, dat bij ons tot enkele voetbalclubs, ik meen Sparta en de Zwolse Boys, beperkt blijft, ook niet te versmaden valt. Minder juist acht ik het gebruik, dat men wel bij hoge militairen ziet toegepast, om de onderscheidingen tot gekleurde streepjes terug te brengen en die dan naast elkaar in een soort jachtig exhibitionisme te vertonen. Dit is een geheimtaal, alleen verstaanbaar voor degenen die precies dezelfde streepjes bezitten, maar voor de buitenstaander betekent het niet meer dan een luciferdoosje, waarvan de bovenkant half openstaat. De bedoeling van de decoratie is dat ermee gepronkt wordt, in de letterlijke zin van het rondborstig pralen. Wie zich daaraan onttrekt en toch wil laten zien dat hij die dingen heeft, verlaagt zich tot een verzamelaar, die met een catalogus volstaat. Ik zelf heb maar één onderscheiding en wel in de laagste orde die er in Nederland wordt afgegeven, te weten Oranje Nassau en al mijn kuiperijen om tot iets hogers te komen zijn of doorzien of in het geheel niet opgemerkt. Na enig nadenken besloot ik deze orde niet te dragen. En dit niet zozeer uit nederigheid, hoewel men daar ook een heel eind mee komt, als wel uit doortrapte ascese. Ik meende hiermee de suggestie te wekken als zou de beschikbare lichaamsruimte voor een volledige uitrusting ontoereikend zijn en dat daarom de volstrekte onthouding gekozen werd. In hoeverre dergelijke subtiliteiten in zo'n volle tuin overkomen blijft natuurlijk de vraag.

Mooi waren ook de *grijze* hoge hoeden, die alle heren droegen. De associatie met paardenrennen, die dit hoofddeksel oproept, geeft aan de dracht iets losbandigs, al is dit woord ook weer te sterk. Er hangt niettemin een vermoeden van niet helemaal te deugen om zo'n hoed, maar dan zó dat de tantes het volledig begrijpen, want de jongen moet eerst wat uitrazen voor hij de titel overneemt. Ik had op deze bijzonderheid niet gerekend en zag mij genoodzaakt op het laatste moment de hoed te huren. Nu heb ik een abnormaal groot hoofd, zoals ieder die dit stuk leest terstond begrijpen zal, en zo moest ik met deze hoed in de hand rondlopen, wat mij in dit milieu wel niet het uiterlijk van een bedelaar gaf, maar toch van iemand die voor een liefdadig doel discreet de aandacht vraagt. Toen de koningin verscheen werden al die duizenden hoeden gelijk afgenomen, wat een gerucht teweegbracht alsof er over het landgoed even een lichte bries opstak.

De koningin verscheen op sublieme wijze. Dat ging aldus. Na enige tijd werden de beide vleugeldeuren, die op het terras uitkwamen, gesloten en ter weerszijden daarvan posteerden zich twee mannen in de eigenaardige dracht, waarvan men in Engeland nog steeds meent dat middeleeuwers er zo bijgelopen hebben. Men zou nu verwachten dat de koningin daar doorheen zou komen, maar dat gebeurde nu juist niet. Opeens klonk héél zacht het God Save The Queen en waarachtig, daar stond ze, maar op een heel andere plek van het terras, een eindje verder. Het bleek mij na informatie dat ze door een zijdeur was opgekomen en dit gaf de impressie alsof ze, door een hand uit de hemel geplukt, daar delicaat was neergezet. Dit is nu wat ik een 'verschijning' noem. Je weet nooit of zoiets toevallig gebeurt of dat een oude hofmaarschalk daar jaren over heeft nagedacht. Volgens mij is het laatste het geval. Het doen opstellen van omvangrijke decors en daar dan geen gebruik van maken kunnen slechts vorsten zich veroorloven. Een dergelijke vorm van verschijnen berust op het zorgvuldig berekend effect van de anticlimax en is naar mijn weten het eerst door Napoleon toegepast, die zich immers ook door rijk versierde maarschalken liet voorafgaan en dan zelf zonder enige decoratie door de keukendeur binnenkwam. Inderdaad droeg de koningin geen enkel juweel en ook prins Philip was van alle opschik verstoken. Zij stonden naast elkaar en keken neutraal voor zich uit. Toen het volkslied was afgelopen ontspande Hare Majesteit zich uit een lichte verstijving en daalde de trap af. Hier onderhield zij zich met enige genodigden, die speciaal voor dit doel in de voorste rij waren opgesteld. Vervolgens bewoog zij zich door de gasten met die eigenaardige, enigszins kwijnende gemakkelijkheid die in de kranten als minzaam omschreven wordt. Soms stond ze opeens stil en besloot met iemand van gedachten te wisselen. De aangesprokene raakte terstond in die toestand van stuipachtige ongedwongenheid waarin op school de onderwijzer verviel wanneer een inspecteur de klas betrad en hem verzocht 'gewoon door te gaan'. Een van de daarbij optredende verschijnselen is het schel en vooral te *vroeg* lachen, wanneer de aangesprokene meent dat er iets leuks bedoeld is. Soms bleek dit geenszins het geval of was de pointe nog niet bereikt. Het gezicht van de koningin verstrakte dan tot het pokerface van 'we are not amused' en zij bewoog zich onmiddellijk verder. Tijdens deze gesprekken rustte haar blik niet zozeer op het gezicht van de gast als wel op een punt tussen zijn ogen. Hiermee wordt, zo meen ik, aangegeven dat de vorstin geen belang stelt in diens persoon, maar in zijn kwaliteit als onderdaan. Hij vertegenwoordigt op dat moment het gehele volk en dit is vermoedelijk ook de reden waarom men in die omstandigheden de antwoorden geeft die iedereen zou zeggen. De koningin gaf telkens door een knikje te kennen dat het gesprek was afgelopen en liep meteen weer verder. De uitdrukking van haar gezicht heeft mij zeer geboeid. De grondtoon was verveling, maar gezien door een eeuwenoude en bij elke troonsbestijging weer opnieuw aangebrachte vernislaag van interesse.

Wat er in zo'n tuin gebeurt is dan toch maar een creatie. Strikt genomen loopt er een dame van middelbare leeftijd met een handtasje in rond, wier geestesleven zich vermoedelijk niet onderscheidt van dat van andere dames met gelijke tasjes. Maar nu gaan we daar iets van maken. De schepping is er een van geestelijke orde, omdat in de uiterlijke verschijning van het vrouwtje niets verandert. Maar juist omdat zij dezelfde blijft en de verschuiving zich alleen in de voorstelling van de beschouwer voltrekt, mag men van een spirituele creatie spreken. Dit wordt terstond duidelijk als men iemand in zo'n tuin zou loslaten die nog nooit van de monarchale gedachte gehoord heeft. De man zou de verschrikkelijkste verwoestingen aanrichten. Hij zou van de hele vertoning niets begrijpen, omdat hij die niet als liturgie kan zien. Onder liturgie verstaan wij een aantal handelingen rond een kern, die onzichtbaar is en ook met geen mogelijkheid te bewijzen valt. Die kern is hier het *idee* dat in dit vrouwtje het Britse rijk zich tot één punt heeft samengetrokken. Er bestaat geen enkele reden om dit aan te nemen en dat is juist het sublieme ervan. Het gaafst komt daarom de gedachte tot uiting in een vorst die persoonlijk een onbenul is. Zo beleefde de Franse monarchie als geestelijke constructie in Lodewijk de Zestiende haar hoogtepunt, omdat hij zelf niets was. Niemand heeft zozeer uit louter geest bestaan als de dikste der Bourbons.

Nu ik toch over corpulentie spreek moet ik uw aandacht vragen voor de anglicaanse bisschoppen, die zich in hun korte kuitbroeken en paarse kousen over het gazon van Buckingham Palace langzaam voortbewegen. Men moet hierbij niet denken aan de wat ordinaire gezetheid, die men wel bij een enkele dorpspastoor of doorgegroeide rector van een nonnenklooster aantreft, want zo'n man heeft zich niet bedwongen, terwijl wij hier juist voor een bewust gewilde en dan ook binnen de perken van het statige gehouden vlezigheid staan. Prachtige koppen waren daarbij! Ik ontdekte voor het eerst het zeldzaam en op het Europese vasteland dan ook niet bestaande fenomeen van uitgesproken klerikale gezichten, verbonden met de fysionomie van een weldoorvoede butler. Men zou natuurlijk op Rome kunnen wijzen, maar ik heb daar lang genoeg gewoond om de vergelijking met gezag te mogen afwijzen. Er lopen daar op het Vaticaan prelaten rond die een lust zijn voor het oog, maar dat is toch niet de milde, in zichzelf rustende en doorstoven gevuldheid die ik hier aantrof. Juist omdat we dit type niet kennen kan het lijken alsof ik hiermee iets depreciërends bedoel, maar dat is toch niet het geval. Men zag aan deze zwaar gebouwde, langzaam bewegende en in opperste rust om zich heen kijkende herders wel degelijk dat het geestelijken waren. Hun blozende gezichten met de eigenaardige proevende blik van mensen die zich somtijds hoewel niet buitensporig vaak in meditatie begeven, misten de kwabbigheid die hoog geplaatste katholieke celibatairen weleens ontsiert en lieten het daarachter liggend beenderstelsel nog gemakkelijk bevroeden. Maar er was tevens geen spoor van ascese, die ik door mijn opvoeding geleerd heb met religie te verbinden. Het is die combinatie van gepaste vroomheid met stevig doorvoed zijn, die mij op de Engelse butler bracht en ook dit zou weer aanleiding kunnen geven tot misverstand, tenzij men inziet dat hiermee een der edelste mensentypen is aangeduid. De butler verenigt in zijn persoon geestelijke onthechtheid met lichamelijk welzijn en is als zodanig een typisch Engels verzinsel. In werkelijkheid bestaan butlers natuurlijk niet en de Engelsen weten dat ook zeer wel, al houden ze het zorgvuldig geheim. Het is een fictief ras. Maar nu ik hun bisschoppen gezien heb krijgt die fictie het karakter van een 'missing link'. De butler is er niet en wordt geconstrueerd. Maar hogerop in de stamboom bloeit hij plotseling uit tot de anglicaanse prelaat.

Uit Perzië, 1 november 1968
        ... In Perzië, doodop, heb lezing in Brussel
    afgezegd.

                                                    G.

De koningin-moeder heb ik van zeer nabij mogen waarnemen en dat was in de Westminster Abbey. Een mooie kerk is dat. Je kunt zeggen dat er te veel standbeelden staan, allemaal van mensen die daar onder de plavuizen liggen en bovengronds met overdreven gebaren op hun verrijzenis vooruitlopen, maar ik heb daar geen bezwaar tegen, het moet er toch van komen. Wél wil ik even wijzen op een inconsequentie die mij vaak getroffen heeft. Na de reformatie was men als de dood om beelden van erkende heiligen in kerken toe te laten en al deel ik die afkeer niet, ik kan er toch inkomen. Een geweldige beeldenstorm blies al die vromen van hun voetstuk, maar gaandeweg hebben hun lege nissen zich weer gevuld, ditmaal met generaals, vlootvoogden, diplomaten, bankiers en andere haaie jongens van wie volstrekt niet vaststaat dat zij heilig ontslapen zijn. Ik heb er vrede mee dat mensen als Benedictus van Nursia, Franciscus van Assisi en Ignatius van Loyola, die het aanschijn van Europa veranderd hebben, van hun consoles gehaald worden, mits daar natuurlijk figuren voor in de plaats komen van groter of althans vergelijkbaar formaat. Wanneer echter die vervanging neerkomt op een makelaar in effecten, een tabaksplanter, een speculant en nog iemand die net op tijd iets zag aankomen, dan rijst er twijfel aan de promotie.

De koningin-moeder is intussen de Abbey binnengeschreden, voorafgegaan door twee mannen die overdwars een koperen voorwerp dragen dat heel vroeger iets betekend heeft maar waarvan niemand de bestemming meer weet. Alleen zij heeft het voorrecht zich door deze onhandige en nergens toe dienende staaf in haar bewegingen belemmerd te zien en dit alleen bij bepaalde gelegenheden en op bepaalde dagen, ik geloof bij bewolkt weer. Het is de gewoonte om dergelijke onzinnige gebruiken, meestal met de uitroep 'die Engelsen toch!' mateloos te bewonderen, maar de basis ervan is natuurlijk denkluiheid. Zo ligt er in Dover een garnizoen waar het sinds eeuwen gebruikelijk is dat een dienstplichtige om het uur naar het strand marcheert, daar enkele seconden met de hand boven de ogen de einder afspeurt en dan rechtsomkeert maakt. Men meende aanvankelijk dat dit terugging op de Noormannen, die immers uit zee opkwamen, maar zulke tradities zijn soms verrassend veel jonger, want het bleek slechts de Spaanse Armada te zijn. Er ontstond nu een debat in The Times, dat ik met eigen ogen gelezen heb, waarin verscheidene geleerden volhielden dat het niettemin Vikingers waren naar wie nutteloos werd uitgekeken. Niet zozeer die soldaat is kenmerkend voor de Britse geest, als wel de ijver waarmee men tracht te bewijzen dat de man daar wel degelijk drie eeuwen langer gestaan heeft dan door sommige heethoofden lichtvaardig wordt aangenomen.

Ik moet u in dit verband iets vertellen wat mij bij het binnengaan van de Westminster Abbey overkwam. Ik had vooraf nogal wat gelezen over de eigenaardige gebruiken die in deze kerk nog steeds bestaan. Toen ik dan ook in de verte, ter hoogte van een zijkapel, de mensen allemaal een sprongetje zag maken begreep ik terstond dat dit een traditie was, alleen op deze plek toegepast en vermoedelijk teruggaand op Willem de Veroveraar, want die man heeft op zijn eentje ontzettend veel bedacht. Dit vermoeden werd nog versterkt door de omstandigheid dat niemand het hups gebruik verwaarloosde, hoewel een enkeling met het beurtelings heffen van beide benen volstond. Ook trof mij de volkomen ernst waarmee het ritueel werd toegepast. Toen ik echter dichterbij kwam bleek het neer te komen op een touwtje dat ter bescherming van enige restauratiewerkzaamheden daar gespannen was en dat men vergeten had weg te nemen. Ik vermeld dit even om te doen zien dat, ofschoon de meeste gebruiken door de Britten zelf verzonnen zijn, men de bijdrage van de buitenlander toch niet onderschatten moet.

De koningin-moeder, die onder nerveus orgelspel van prof. Charles Dickens, achterkleinzoon van Dickens tout court, al weer halverwege het middenpad gekomen is, knikt en glimlacht naar alle kanten en begeeft zich, steeds maar buigend en iedereen blij herkennend naar de Poets' Corner, waar zij in een gesloten koorbank het zich recht gemakkelijk maakt. Zij draagt een hoedje dat uit louter veren en pluis is samengesteld. Omdat er in die hoge bank verder niet veel van haar te zien is herinnert zij even aan een paardebloem in de laatste fase van ontwikkeling en je denkt onwillekeurig: als die hofdame achter haar nu niest dan is er opeens niets meer en mogen wij een wens doen, want dat mag als er een paardebloem wordt uitgeblazen. De vriendelijke en zelfs ietwat suikerachtige wijze waarop de koningin-moeder steeds maar om zich heen blijft knikken kan ik intussen minder bewonderen dan de hooghartige behandeling, die ons van haar dochter ten deel viel. Eigenlijk valt dit soort beminnelijkheid in een vorst zelfs af te keuren, want dat kunnen we allemaal wel. Hij moet iets doen wat niemand kan. Het koningschap kost een aardige duit en in ruil daarvoor dient men *reserve* te ontvangen. Ik raak altijd een beetje geïrriteerd als ik voor de zoveelste maal weer hoor dat een bepaalde vorst toch zo *eenvoudig* is. Kijk, daar betalen we ons goeie geld niet voor. Jan en alleman is eenvoudig. De honorering vindt plaats in de verwachting op een afstand gehouden te worden, want dat beleef je nergens meer. Het idee, dat zo iemand zich onmogelijk met u encanailleren kan bevat een element van masochisme dat blijkbaar in een behoefte voorziet. Komt dat er niet meer uit, dan dient men af te treden. De ideale vorst is de man, die slechts éénmaal per jaar voor het raam van zijn slaapkamer verschijnt en enige muntstukken naar het gepeupel werpt. Hij moet niet de andere dagen van het jaar blijven doorzwaaien. Het verschil tussen moeder en dochter zit hierin dat de eerste meent persoonlijk bemind te zijn, terwijl Elisabeth de haar toekomende genegenheid op haar functie betrekt. Van beiden is de laatste dus het meest 'eenvoudig', al lijkt de eerste het te zijn. De krans die vandaag op Dickens' graf gelegd wordt, is door meisjes gevlochten. Deze meisjes zijn afkomstig van een kostschool en die school is de vroegere woning van Dickens, genaamd 'Gad's Hill', tussen Rochester en Gravesend. De bloemen van de krans zijn uit diens eigen tuin bijeengeplukt en als we dat allemaal op de achterkant van het programma gelezen hebben ruist er een golf van vertedering door de kerk. De meisjes zijn vreselijk in de war en zitten op een bankje afwisselend te giechelen en hooghartig in het rond te kijken, want op die leeftijd is het nog moeilijk kiezen. Gelukkig komen er nu honderd jongetjes binnen in lange koorhemden en witte geplooide kraagjes. Toch zie je meteen het verschil in geslacht. De meisjes weten zich geobserveerd, de jongens niet. Ze beginnen onmiddellijk te zingen, als lijsters na een regenbui.

Jongensstemmen in een hoge kerk, dat is het mooiste wat er bestaat. De stem van een volwassene is geluid dat door het membraan van een gemoed is heengegaan en daardoor een zekere bewogenheid verkrijgt. Maar dat is nu juist in een kerk het mooiste niet. Een kerk is een ruimte waar de menselijke stem geacht wordt van passie gezuiverd te zijn, als een blank stuk glas waar het licht doorvalt. In de Katholieke Kerk is dit bereikt door het Gregoriaans, wat de Anglicanen geloof ik niet kennen. Maar zij hebben weer die jongetjes. Het zijn er ruim honderd. Nietig schuifelen ze de enorme koorbanken in als duiven op een stok, schikken even hun veren en dan gaan al die snaveltjes open. Wat je nu te horen krijgt is aangrijpend van neutraliteit. Kaal, dun, volstrekt onbewogen en dan ook zonder de minste aarzeling rijst de melodie als een koele morgennevel in de reusachtige ruimte omhoog. Het is net of het die kereltjes volkomen koud laat wat ze nu precies zingen en vermoedelijk is dat ook zo. Maar juist daardoor verliezen de oeroude begrippen van zonde, schuld en boete, die een paar tobbers uit de zeventiende eeuw voor hen hebben neergeschreven, hun zwaarte. De woorden verdampen tot een licht heimwee waarin het aangenaam toeven is. Dat er toch telkens een rilling door je heengaat komt door de onverbiddelijke pracht van die kristallen stemmen, waaruit alle persoonlijke ijdelheid is weggezuiverd. Honderd wijd open kelen in honderd schuldeloze hoofden en daarachter zit geen enkele bedoeling. Pure muziek.

De koningin-moeder, die al die tijd goedkeurend knikkend geluisterd heeft alsof het haar eigen kleinkinderen zijn, geeft na afloop met haar waaier verscheidene tikjes op de bank, hiermee tevens de grens aangevend tot waar het enthousiasme van een vorstelijk persoon zich vieren laat en staat nu plotseling op. Wij rijzen gehoorzaam mee. Haar feilloos instinct heeft ons niet bedrogen: het ogenblik voor de krans is aangebroken. De vier kostschoolmeisjes verstrakken tot een paniek van bevangenheid en schuifelen als glazen poppen met het geval naar voren. Eenmaal zullen ze aan hun kinderen vertellen dat op die dag Dickens honderd jaar geleden gestorven was en dat er toen op school geloot werd welke vier het mochten doen; dat ze eerst een heel ander getal in hun hoofd hadden en toen toch het juiste cijfer zeiden, je weet soms niet waar dat aan ligt. Maar nu hebben ze maar één gedachte, niet te struikelen, niet op elkaars hakken te trappen en vooral niet te krabben op de plek waar het juist op dit moment zo verschrikkelijk jeukt. Bij het graf staan ze stil. Want niet die vier meisjes en zelfs niet de koningin-moeder, maar een oude dame gaat de krans leggen. Het is de enig overgebleven kleindochter van Dickens, mevrouw Elaine Waley, oud 86 jaar en nog recht van lijf en leden. Het bericht dat het *moment suprême* is aangebroken heeft intussen het orgel bereikt, want de jonge Dickens neemt de handen van de toetsen. Het wordt doodstil.

De oude dame pakt de krans beet en ik zie opeens dat er twee tranen over haar wangen rollen. Omdat men in deze masculine tijd meent dat iemand die van zijn ontroering blijk geeft, ook meteen onwel is, schieten er enige behulpzamen toe, maar mevrouw Waley wordt nu driftig en zegt zeer hoorbaar 'Leave me alone, all of you!' Vervolgens bukt zij zich en legt het kransje op de steen, precies tussen de naam en de twee jaartallen in, zodat er niets van het opschrift geblokkeerd wordt en loopt dan terug naar haar stoel met de kranige tred van iemand die in hoge ouderdom ons allen een lesje gegeven heeft.

Ik ken haar wel enigszins, want ik had de dag tevoren met haar gegeten. De invitatie was afkomstig van haar neef Eric Dickens, bij wie zij juist logeerde. Deze Eric, die ik overigens graag mag, gaat uit van de opvatting dat men zich niet op zijn voorouders moet laten voorstaan. Dit is, zo meent hij, geen verdienste, men moet zelf ook wat zijn. Om deze kloeke gesteldheid te bewijzen praat hij uitdrukkelijk *niet* over zijn overgrootvader, wat het effect heeft van een lijk dat nog boven de aarde staat. Ook het hartelijk uitdelen van schouderklappen, waardoor hij aangeeft ook maar een mens te zijn als u en ik, vestigt de aandacht op de overledene met een nadruk die het gewoon praten over Dickens verre overtreft. Nu moet ik toegeven: het *is* ook moeilijk. Monica Dickens, de enige schrijfster die de familie sindsdien heeft voortgebracht, vertrouwde mij eens toe dat zij spijt had geen pseudoniem gekozen te hebben. Doe je het goed dan imiteer je hem, doe je het slecht dan pleeg je verraad. Het beste is te emigreren, wat zij dan ook deed. Haar neef Eric woont te Richmond in een huis dat vol met Dickens-relieken staat, want zijn vrouw, een onbezorgde lachebek, is er maar wat trots op. Hij voert mij door die vertrekken heen met de gejaagde blik van een suppoost die weet dat het museum eigenlijk gesloten is en we komen in de tuin, waar onder een bloeiende jasmijn Elaine zit. Zij is gekleed in een zwarte zijden japon en lijkt ook verder helemaal niet op Dickens. Om haar hals draagt zij een medaillon, waarin volgens de geruchten een lok van zijn haar verborgen moet zijn, maar zekerheid bestaat hieromtrent niet, want niemand heeft er ooit in gekeken en niemand zal dat ooit doen. Eric stelt haar op losse toon als 'aunt Bobby' voor, wat ik in stilte opberg bij de andere pogingen om het vooral gewoon te houden. Zij geeft mij een breekbaar handje en kijkt, terwijl ik mij voorover buk, tersluiks langs mijn oor de tuin af om te zien of er nog meer op audiëntie komen of dat het hierbij blijft. Als het laatste het geval is gaat zij goed rechtop zitten en begint met het Onderwerp.

Ik was hier tevoren over ingelicht. Mevrouw Waley geboren Dickens heeft een Grief. Zoals wel meer bij zeer oude mensen voorkomt heeft deze zich gaandeweg uitgebreid tot alle andere gebeurtenissen, zoals het zitten onder een bloeiende jasmijnboom, ermee zijn overdekt. Jaren geleden kwam zij langs een bioscoop, waar *Oliver Twist* gegeven werd. De affiches afspeurend kwam zij nergens de naam van haar grootvader tegen. Hierop ging zij naar binnen, juist op tijd voor de aankondiging der medewerkers. Alle namen, vanaf regisseur tot geluidsman, trokken in het donker voorbij. Toen ook hier de mededeling 'naar de gelijknamige roman van Charles Dickens' achterwege bleef, rees zij op en liep resoluut naar buiten. Hier wachtte zij tot de film bijna was afgelopen en ging naar binnen om ook de afkondiging te controleren. Weer draaiden alle namen voorbij en weer bleef de naam van Dickens onvermeld. Zij ging toen naar huis en schreef een brief naar New York wat dit in godsnaam te betekenen had. Op deze brief kwam nimmer een antwoord. Dit was de Grief. Zij vertelde dit allemaal stijf rechtop van verontwaardiging, terwijl de gesprekken om haar heen zachtjes doorgonsden, want men scheen met het verhaal bekend te zijn. Mij heeft het wel iets gedaan, al is het niet makkelijk te zeggen wat. Zo'n man is honderd jaar dood. Hij is literatuur geworden, tv-object en een onderwerp om op te promoveren. Men verwacht dan niet dat er nog iemand *persoonlijk* met hem betrokken is, maar die exceptie bleek toch te bestaan. Dit is nu het soort kwaadheid dat een echtgenote, een dochter en nog nét een kleinkind voelen kunnen, omdat die hem niet als een gekleurde streep in de boekenkast maar als man, vader en grootvader ervaren. De oude dame verdedigde hem alsof hij er nog was, zij ging met gespreide armen voor hem staan, zoals vrouwen doen als het nest bedreigd wordt: fanatiek, partijdig en subliem onredelijk. Dickens waarde even als een lijfelijke verschijning door die tuin heen, het was alsof zijn laatste ademtocht door de blaren ritselde. Ik weet niet of ik duidelijk ben, maar dichter kan ik er niet bijkomen. Gelukkig heb ik iets voor haar kunnen doen. Ik opperde de mogelijkheid dat de regisseur de naam van grootvader onvermeld gelaten had omdat iedereen wel wist dat hij het boek geschreven had, zodat het weglaten ervan eerder als een compliment dan als een verzuim moest worden opgevat. Deze constructie, die mij trouwens ook wel verdedigbaar lijkt, viel niet slecht. Zij keek een tijdje zwijgend voor zich uit en knikte toen, maar helemaal overtuigd leek zij mij toch niet. En nu ik erover nadenk betwijfel ik opeens of ik haar wel een dienst bewezen heb. Een grief kan ook een bezit zijn. Misschien heb ik haar wel iets afgepakt. Sommige naturen gebruiken onrecht als kauwgom tussen de tanden en voelen zich ontredderd als ze er niet meer op bijten kunnen.

De herdenking in de St.-Paul de zondag daarvoor was veel minder, mede doordat de predikant een vergelijking trok tussen Dickens en ... John Wesley, wat natuurlijk nergens op slaat, tenzij men een contrast bedoelt. Maar ook deze kerk was weer afgeladen vol en daar gaat het mij nu om. Bij welke schrijver is zo iets denkbaar? De mogelijkheid, dat een Nederlandse winkelier zich ter kerke begeeft omdat Vondel een rond aantal jaren geleden gestorven is valt onder de anekdoten die Thomasvaer en Pieternel na afloop van de Gijsbrecht debiteren om de zaal weer op gang te krijgen. Tijdens de dienst werd er gecollecteerd en de opbrengst hiervan was bestemd voor de aankoop en restauratie van een 'Dickens-place', in dit geval het huis waar David Copperfield en Dora Spenlow elkaar voor het eerst ontmoet hadden. Dit scheen in Richmond te staan, om precies te zijn op Kew Foot Road 17, hoewel sommige vorsers hardnekkig volhouden dat het nummer 19 geweest moet zijn. De mensen die hun bijdrage in het zakje wierpen en zich daarbij realiseerden dat noch David Copperfield, noch mejuffrouw Spenlow of zelfs het huis ooit bestaan hebben, schat ik op niet meer dan een bank of twee, met hier en daar een verspreide stoel. De rest van de gelovigen meende werkelijk dat het hier om een realiteit ging en het is in dit soort misverstanden dat Dickens groot behagen schiep. Hij heeft een paar van die mensen zelf getekend en daar wordt dan nu weer voor gecollecteerd. Dit is een duizelingwekkende gedachte en ik kan daar uren over doorsoezen. Het perspectief dat zich hier opent is verwant aan de verpleegster van Blookers Cacao, die zichzelf op het steeds eendere kopje eindeloos repeteert zonder ooit aan het eigenlijke drinken toe te komen.

Het grote banket in de Guild Hall is mij oratorisch wat tegengevallen, de sprekers waren niet zo uitmuntend als in Engeland bij een dergelijke gelegenheid verwacht mag worden. Overigens is het een unieke ruimte. Er kunnen precies negenhonderd mensen eten en die zaten er dan ook. Je schrikt daar wel even van. Eten is ten slotte een intieme gebeurtenis. Twee is ideaal, hoewel ik aan vier ook heel goede herinneringen heb. Met zes wordt het al moeilijker en boven de tien is elke redelijke conversatie uitgesloten. Honderd heb ik ook wel meegemaakt, maar dat was eenvoudig bunkeren. Loopt het naar de duizend, dan kom je in een orde die ik niet ken en voor het eerst hier zag. Een ontstellende aanblik! De massale toepassing van iets dat oorspronkelijk privé bedoeld is zweemt zelfs naar prostitutie en het is misschien om die associatie te voorkomen dat dergelijke banketten zo zedig worden afgewikkeld. Het decorum vervangt dan de intimiteit en in die dingen zijn Britten beproefde meesters. Mijn verbijstering werd nog vergroot door het enorm aantal grafmonumenten waarmee wij aan alle kanten omgeven waren. Engeland heeft sinds twee eeuwen de gewoonte om zijn gestorven notabelen die in de Westminster geen plaats meer vinden, hier bij te zetten. Men doet dit door op hun graf twee engelen te plaatsen die elkaar wenend aankijken, ieder met een takje in de hand, terwijl een derde engel, die boven hun hoofden zweeft, een rol ontvouwt waarop de verdiensten van de ontslapene genoteerd staan. Onder tegen het monument leunen gewoonlijk nog wat vrouwen, die in verschillende graden van droefheid naar beneden wijzen. Ik zat tegenover dat van Nelson, die zelf op een marmeren klapstoeltje aanwezig bleek en door een zeekijker een oude dame naast mij fixeerde, die dan ook geen hap door de keel kreeg.

Het is in progressieve kringen gebruikelijk om op dergelijke evenementen van formeel karakter, waarbij iedere disgenoot op zijn paasbest en zonder duidelijke blijken van amusement achter zijn bordje zit, wat laatdunkend neer te zien. De gebeurtenis wordt als overbodig, de aanleiding als onzinnig en de kosten als louter verkwisting aangeduid, terwijl men voor de deelnemers zelf de term 'klootjesvolk' reserveert. Hierover valt toch wel iets te zeggen. De opvatting gaat uit van zuiver utilitaire overwegingen. Strikt genomen zou men met een bal gehakt, een bak sla en een glas bier kunnen volstaan en men ziet dit deplorabel standpunt in verschillende cafetaria dan ook wel toegepast. Er bestaat echter in de mens een edele neiging tot omslachtigheid, waaraan hij bij bepaalde gelegenheden wenst toe te geven. Men noemt dit een feest. Alle feesten hebben dit gemeen dat ze vanuit het zojuist genoemde standpunt onverdedigbaar zijn. Hun kern is de overbodigheid. De elementaire driften als vrijen, drinken, eten en praten willen wij nu eens wat eleganter afwikkelen en ik geloof dat dit verlangen ons van de dieren onderscheidt.

Een hond schrokt altijd op dezelfde manier uit altijd dezelfde bak, hij *maakt* er nooit iets van. Het meest eentonige vak lijkt mij dat van oppasser in een dierentuin, omdat men door repetitie omgeven is. Het heeft de mensheid miljoenen jaren gekost eer zij zich tot enkele varianten wist op te werken. Wat mij nu verbaast in degenen die deze handelingen op de oorspronkelijke basis wensen terug te voeren is de mening hiermee iets progressiefs te brengen. Het is een herhaling van iets wat ver achter ons ligt en dit verschijnsel wordt in de biologie met regressie aangeduid. Ik heb daar niets op tegen. Ik pleit alleen voor een zuiver woordgebruik.

De hoofdspeech, waar het eigenlijk allemaal om te doen is, heet 'The Immortal Memory of Charles Dickens' en men wordt daarbij geacht iets nieuws te zeggen. Dat is een hele klus in zo'n gezelschap en ik kan ervan meepraten, want ik heb het zelf eens geprobeerd op het Dickens-congres te Buxton, in 1958, ik word nog koud als ik eraan denk. Ditmaal valt de eer te beurt aan de heer J. B. Priestley, een zeer vruchtbaar auteur, die ook twee boeken over Dickens geschreven heeft. Ik heb hem allang in de gaten, want hij converseert met de spookachtige opgewektheid van iemand die zich verre van op zijn gemak voelt en dat niet wil laten merken. De tweede fout is ernstiger. *Hij draagt een geribd fluwelen jasje.* Wie voor een auditorium dat uit louter rok en smoking is opgebouwd, een dergelijk waagstuk onderneemt, belast zich met een verwachting die bijna niet te dragen is. Men geeft te kennen: mijn speech is zo excellent dat gij dit jasje vergeten zult. Ik kan mij veroorloven zo in uw midden te verschijnen, want de pracht van mijn woorden zal deze onachtzaamheid geheel en al wegvagen. Men kon dit ook zien aan de manier, waarop de mensen hun stoelen achteruit schoven toen hij werd aangekondigd. Men ging er eens breed voor zitten, want hier viel iets goed te maken. Wat we te horen kregen was treurig.

De heer Priestley rees op, zijn sigaar nog in de hand en begon met te zeggen dat hij in het geheel niets had voorbereid. Nu mag men dat alleen zeggen als onmiddellijk hierna het tegendeel blijkt. Beter is natuurlijk de mededeling helemaal achterwege te laten, want men manoeuvreert zichzelf in de positie van een genie. Hierna gaf hij, steeds met die brandende sigaar in de hand, enige kwinkslagen ten beste die misschien onder normale omstandigheden een welwillend onthaal gevonden hadden, maar nu in de put van een ijzig zwijgen vielen. Hierdoor nerveus geworden koos hij de nooduitgang van opperste jovialiteit. Toen hij ook deze deur gesloten vond en er geen andere uitweg meer overbleef dan het onderwerp zelf aan te vatten, kwam hij in ernstige moeilijkheden. Hij greep radeloos en bijna blindelings in zijn eruditie, maar er viel hem niets in handen wat in *dit* milieu te gebruiken was. Het erge was de volledige afwezigheid van sympathie, die een falend spreker uit een zaal nog weleens tegemoet wil stromen. Men bleef onwrikbaar zitten met de verwachting die jasje en sigaar nu eenmaal hadden opgewekt en was niet bereid daar iets van prijs te geven. Toch deed men dat op het eind. Toen hij ten slotte ging zitten onderging hij nog de laatste vernedering van een reddend applaus, want men kon het zó niet laten. Ik ken de heer Priestley niet en het is zeer wel mogelijk dat het een aardige en zelfs bescheiden man is.

Men leert trouwens in het lange leven om nooit iemand naar zijn optreden in het openbaar te beoordelen, want dat is altijd een noodsituatie waarin hij zichzelf niet is. In het voorgaande leze men dus geen oordeel over Priestley. Hij maakte echter, nog voor hij zijn mond had opengedaan, een blunder die overal vermeden moet worden, maar speciaal in Engeland fataal bleek uit te pakken: het anticiperen op een resultaat.

Van de andere sprekers herinner ik mij alleen nog de Lord Mayor van Londen, vermoedelijk door het contrast. De man stond helemaal stijf van het goud en je denkt dan onwillekeurig: wat daar nog voor origineels uitkomt dat is meegenomen. De moeilijkheid om zich in zo'n pak met een zekere gratie voort te bewegen moet niet worden onderschat. Het gaat om de vanzelfsprekendheid. Wie niet de indruk wekt er ook in te ontbijten is verloren. De bedoeling van zulke oeroude kostuums is, denk ik, deze, dat de tijd bij de aanblik van de inzittende van louter schrik is blijven stilstaan. Het pak is daardoor niet geëvolueerd en hiermee wordt voor de drager een zekere eeuwigheidswaarde gesuggereerd. Alles verandert, hij niet. Hij zou misschien wel willen, maar het ambt is sterker en heeft hem tot een fossiel versteend. Deze Lord Mayor nu merkte op dat er sinds de tijd van Dickens wel het een en ander veranderd was. Hier kon hij zich geen buil aan vallen en er ging dan ook een goedkeurend gemompel door de zaal. Hear, hear. Verder zei hij echter dat de ontwikkeling van de techniek de geest van de mensen ongewijzigd gelaten had. Al die uitvindingen hebben op de basisgevoelens geen vat. Hij werkte deze gedachte nog verder uit door erop te wijzen dat deernis en sociale bewogenheid van alle tijden zijn en dat dus ook de boeken van Dickens voor ons hun actualiteit behouden hebben, maar dat doet er nu niet toe. Waar het mij hier om gaat is de mening dat de techniek ons geestesleven niet raakt. Hij zei dit zachtjes, met beide handen in zijn gouden gordel gestoken en als het ware hardop denkend, zoals iemand wel doet wie al pratend iets te binnen valt. De vraag is nu: was hem dit zonder microfoon mogelijk geweest?

Hier hebben we nu een uitvinding die vlak voor de spreker stond en aan zijn losjes uitgesproken bewering een enorm volume gaf. Zulke versterkte parlando's waren een eeuw geleden onmogelijk. Wie de toespraken van Gladstone leest denkt af en toe: kan het niet wat minder? Nee, dit kon niet. De man sprak voor vijfduizend mensen en hij moest het *luid* zeggen. Maar deze noodzaak beïnvloedde tevens de aard van zijn mededelingen. Wie weleens met een dove gesproken heeft zal dit ook zelf ondervonden hebben. Het is onmogelijk om in zo'n oor te gillen dat het mooi weer is maar dat er vanavond een buitje komt. Zowel de inspanning van de toehoorder om de boodschap te vernemen als het volume waarmee zij gebracht wordt noopt de spreker tot berichten die deze dubbele energie rechtvaardigen. Neem eens de mededeling dat men zich in het geheel niet heeft voorbereid. De gemoedelijkheid hiervan kan weleens aardig werken, al dient men daarmee spaarzaam te zijn. Maar wie dit bericht in een volle zaal met alle macht gaat uitschreeuwen maakt zich onmogelijk. Dit betekent dat men voor de enorme stemomvang waartoe men zich zonder microfoon gedwongen ziet, een inhoud kiest die daaraan adequaat is. De eigenaardige pathetiek, die ons in de speeches van onze voorouders bevreemdt, was geen vrijwillige keuze, maar het gevolg van een gemis. Ze konden de versterking niet aan een apparaat delegeren en hadden daarvoor zelf te zorgen. Hierdoor zagen ze zich begrensd tot uitspraken die deze kracht van dictie ook verdroegen. Tal van hartveroverende elementen in onze huidige toespraken, waaronder het understatement, konden verbaal niet worden toegepast. Het was intussen wel aardig de burgemeester iets te horen zeggen wat door zijn eigen microfoon weersproken werd.

De rest van de week heb ik in een van die stadsparkjes doorgebracht, die je in Londen overal vinden kunt. De natuur is daar op haar liefst. Aandoenlijk is het woord. Nergens zijn de bomen zo vol en bloeien de heesters zo rijk als wanneer ze geklemd staan in een vierkant van steen. Ook de vogels hoor je er beter dan buiten, omdat hun gezang tegen de hoge huizen weerkaatst. Het zijn kleine oasen van stilte, uitgespaard in een woestijn van geluid. De mensen die er binnenlopen lijken mij ook gelukkiger dan in de vrije natuur, omdat ze uit een tegenstelling komen. Er ligt een grote aandacht op hun gezichten, die uit verrassing geboren is en ook uit het besef: de voorraad is beperkt. De enige schommel in de tuin, waarop een wat wit uitgeslagen jongetje zit, piept en dat geeft een warm gevoel, omdat het thuis ook zo was. Een tuinman harkt met tijdeloze bewegingen en rust af en toe op de steel. Hij staart naar boven in de lucht en daar valt niets te beleven. Voor het raam van een ver huis komt plotseling een man in hemdsmouwen te voorschijn, die iets nauwkeurig bekijkt in de palm van zijn hand. Dan keert hij om en zijn wit hemd lost weer op in het donker. Ik zal hem nooit meer zien, mijn hele leven niet, want morgen gaat de trein. Op een bank zitten drie oude dametjes knokerig bijeen. Op hun gezichten ligt de in het skelet al vastgevroren vriendelijkheid van hoog bejaarden, die besloten hebben dat langer tobben geen zin meer heeft en dat het toch allemaal anders loopt. Een merel staat in het dunne gras te luisteren naar iets beneden, dat er achteraf toch niet blijkt te zijn. Er gebeurt niet veel. Het leven staat hier stil. Een man gaat het hek sluiten en wenkt. We moeten weg.

Uit Newmarket (Groot-Brittannië), 7 juni 1971
(Met de NCRV-ploeg op zoek naar spookkastelen. Aan de rugzijde van een blanco postkaart.)
De 'Ghost-tour' is zeer vermoeiend en wij staan telkens voor verrassingen, omdat onze bedoelingen voortdurend doorkruist worden door magische krachten. Ik heb nu de voorzorg genomen om deze mooie ansichtkaart te laten zegenen door een duivel-uitdrijver, zodat de afbeelding niet kan worden uitgewist. Ik hoop dat het dit keer voorkomen wordt, maar de exorcist kon het niet beloven.

G.

Reizen is thuiskomen

Het grote zomerbedrog
De illusie der illuminatie

Na de wilde, roekeloze afbraak in de vorige eeuw van alles wat men voor oude rommel aanzag: poorten en wallen, gevels, kerken en antieke huizen, is het inzicht doorgebroken dat deze zaken enige betekenis hadden. Men begon zich bewust te worden dat ook een stad haar schoonheid bezat. Hoe verheugend deze ommekeer ook zij, men vergisse zich in de beweegreden niet. Het is niet zo dat vorige generaties blind waren en dat het huidige geslacht de ogen zijn opengegaan. De mensen van nu zien het evenmin. Als men de bewoners van oude huizen hun gang liet gaan, zouden ze hun geveltje maar al te graag 'moderniseren'. Praat maar eens met die mensen: het is een fris puitje mét veel glas, waarnaar ze verlangen. Ze vinden het erg 'donker' en 'ouderwets' en zouden graag 'helder' wonen. Het mag echter niet meer. De enkelen die dit verbieden, hebben een stok achter de deur die respect inboezemt: het vreemdelingenverkeer.

Een Amerikaan reist niet om het heden te zien. Dat heeft hij thuis volop. Het is de nostalgie naar het verleden dat hem in Europa drijft. En ook de bewoners van het Avondland zelf, die puin en nieuwbouw maar al te goed kennen, bezoeken ons land om zijn historie. En zo heeft ons bezit aan grachten en gevels, hoewel voor de meeste Nederlanders even onbegrepen als indertijd, opeens een handelswaarde gekregen. Het verhoogt de omzet en komt als zodanig de middenstand en het cafébedrijf ten goede.

Het eigenlijke onbegrip dat aan de nieuwe waardering ten grondslag ligt, komt al zeer duidelijk voor den dag in de wijze waarop men dit bezit hanteert. Oude straten worden nog eens extra versierd, men zet de grachten met duizenden gloeilampjes af en richt op kerktorens en markante gevels de schijnwerpers van het strijklicht. Ja, men gaat verder. In plantsoenen die hebben bewezen de vreemdeling te bevallen plaatst men aluminium paddestoelen, die licht uitstralen en aldus de zo gewaardeerde bloemen nog eens extra onder de aandacht brengen. En zo is, gedurende de zomermaanden, bijna elke oude stad in Nederland in een soort permanente kermis veranderd, waarbij de vreemdeling als het ware met zijn neus op het 'typische' wordt gedrukt. De gedachtengang, die achter deze zonderlinge methode verborgen ligt, is wel duidelijk. De betrokken vvv merkt: kijk, dat geveltje 'trekt', die toren 'doet het', welnu, laten we er eens flink de aandacht op vestigen. En meteen plaatst men een batterij schijnwerpers en zet het aardige 'puntje' in een onbarmhartig floodlight. Deze gedachtengang is fout. En dit om twee redenen.

Ten eerste is elke schoonheidsbelevenis een precaire aangelegenheid, die hier veel te nadrukkelijk wordt geforceerd. Wie voor een oude kathedraal, die in de schemering opdoemt, gevoelig is, wordt bij deze belichting als het ware bij zijn nekvel gegrepen en toegeschreeuwd: kijken jij, opgelet, hier is iets moois! Echte kenners, en men onderschatte hun aantal niet onder hen die zich zo'n reis getroosten, zijn hiervan geenszins gediend. Zij verkiezen de *eigen* ervaring van een *natuurlijke* toestand boven het plakplaatje van een toeristenbureau.

Een middeleeuwse kerk is geen decor. Het is allereerst een kerk. Door haar als coulisse te gebruiken, miskent men haar functie en betekenis. Men miskent bovendien de speciale geheel eigen atmosfeer van de nacht. Men schijnt te menen dat duisternis alleen maar de afwezigheid van licht, dus niets is. Maar zij is wel degelijk iets. Wie weleens een kathedraal, die aan de heren feestneuzen bij toeval ontsnapte, in het clair-obscur van een paar straatlantaarns heeft zien oprijzen, kent de eigenaardige betovering van die toestand. Het is een aparte verschijningsvorm, door God zo gewild en waarop de bouwheer in zijn contouren heeft gerekend. Wie daar niet van houdt, ga overdag.

De zaak is dat zo'n gemeenteraad of vreemdelingenbureau wél merkt dat er iets aan de hand is, maar in de verste verte niet vermoedt wát die malle kerels uit het buitenland eigenlijk bezielt. Ze verdiepen zich daar ook niet in. En terecht. Want dit is geen probleem dat door nadenken kan worden opgelost, dit is een kwestie van aanleg en cultuur. Wat ze wél zien is de verhoogde opbrengst van de horecaf-bedrijven en aanverwante etablissementen. Die toeristische liefhebberij dient dus aangewakkerd en opgekieteld, want zij brengt geld in kas. Ziedaar het keiharde argument dat alle andere bedenkingen met één zwaai van tafel veegt. Laten we het daarom eens aandachtig bekijken.

De schijn is inderdaad vóór de heren. Nietwaar, sinds de dansmuziek door onze straten schalt, de bonte slingers in de bomen zijn opgehangen en de brugleuningen afgezet, is de toeloop van vreemdelingen toch maar verdubbeld! De denkfout die hier wordt gemaakt, is dat men uit de gelijktijdigheid van twee verschijnselen tot hun causaliteit besluit. De ware toedracht ligt waarschijnlijk zo, dat men *eerst* heeft gezien dat een stadje toeristen trok en *toen* dit bezoek door verfraaiingen is gaan stimuleren. Dit bezoek is doorgegaan, er kwamen steeds meer vreemdelingen. Akkoord. De vraag rijst echter: zouden er nog niet veel meer zijn gekomen als de versiering en de feestverlichting achterwege waren gebleven? Men ziet: bepaald dwingend is het verband tussen beide, althans in positieve zin, niet. Er zijn andere factoren die voor de opmerkelijke reislust naar ons land veel duidelijker aanwijsbaar zijn. Onze geografische ligging en vooral het voor vele buitenlanders nog steeds gunstige prijsverschil zijn waarschijnlijk oorzaken die, wellicht *ondanks* de versiering, de curve tóch omhoogjoegen. Het is dus op zijn minst twijfelachtig of genoemde attracties de omzet werkelijk verhogen. Wat zou er gebeuren als men ze eens achterwege liet?

Aldus gesteld, blijft de vraag natuurlijk academisch. Wie bij wijze van hypothese een factor wegdenkt en dan gist naar het resultaat, valt in een fictie. Hij jongleert dan met een situatie die zich juist niet heeft voorgedaan en dus onbewijsbaar is. De proef op de som ontbreekt. Alleen als er een gemeente zou zijn die aan die malligheid *niet* heeft meegedaan en toch een hogere frequentie van vreemdelingen noteerde, kan er, mits de andere factoren gelijk gebleven zijn, een conclusie getrokken worden. De éne factor, die hier in discussie was, is dan geïsoleerd. Welnu, dit geval heeft zich in de gemeente Arcen in bijna chemisch zuivere toestand voorgedaan.

Arcen ligt 12 kilometer boven Venlo. Tot voor enkele jaren bezat het één hotel, waar drie bedden aan het zonderling verlangen er de nacht door te brengen, ruimschoots voldeden. Nu, op dit ogenblik, heeft het talrijke hotels en pensions. Het aantal logeerbedden steeg aanzienlijk, elke zomer zijn ze bezet door toeristen, die een week of langer in het stadje doorbrengen.

Wat is de attractie van deze plaats? *Dat er niets gebeurt.* Zorgvuldig waakt men in Arcen tegen versieringen, feesten, braderies, verlichtingen en andere 'evenementen', waarmee elke stad in ons land de andere tracht te overtroeven. Zelfs het plaatselijk Sint Petrus en Paulus Gilde denkt er niet over voor de toeristen een extra voorstelling in vendelzwaaien of prijsschieten te geven. De harmonie blaast af en toe een concertavond op de markt bij elkaar en daarmee basta. Het heeft geen Parijse terrasjes, geen Duitse bierkelders, geen Engelse pubs, het heeft alleen zijn eigen Limburgse cafés, huizen, straten en eerlijke natuur. Het doet niet de geringste moeite om op Montmartre of het Kopenhaagse Tivoli te lijken, het toetert, krijst en jazzt niet, en de mensen vinden het er verrukkelijk. Zij zien geen smakeloze imitatie van wat ze thuis veel beter hebben, zij zien een dorp dat rustig zijn gang gaat en daardoor een veel typischer beeld geeft van een eeuwenoude atmosfeer dan wat een paar gladde jongens op een woensdagmiddag bedenken kunnen.

Er komen natuurlijk genoeg spullebazen, die daar de zaak eens flink op poten willen zetten. Er komen namaak-Zwitserse jodelaars, die smeken om één avond jodelen, er komen namaak-Schotse doedelzakkers, die desnoods gratis willen doedelen en er komen, om dichter bij huis te blijven, leveranciers van Brabantse koffietafels, compleet in kostuum en bijbehorend accent, of bakkers van de echte Limburgse vlaaien, die ze de Duitse toeristen wel umsonst in de mond willen stoppen. De heer Miedema, die daar de touwtjes in handen heeft, hoort de heren beleefd aan en laat alles bij het oude. Ik kan me zo begrijpen hoe een vreemdeling, die overal in Europa van de ene kouwe drukte in de andere is gevallen, hier verademt en denkt: het is misschien weinig, maar het is echt, God zij geloofd en geprezen.

Ik ben blij dat Arcen er is. Deze éne uitzondering in een land dat zienderogen bezig is zich voor de vreemdeling te prostitueren, dat plaats na plaats geen middel schuwt om het uit te schreeuwen: ik ben er ook, zie wat ik te bieden heb!, die éne exceptie bewijst dat het volstrekt niet 'hoeft', integendeel, dat het alleen maar irriteert en schade doet. Een stad als Amsterdam, die haar weerga in Europa niet heeft, hoeft alleen maar de donkere pauwestaart van haar grachten open te vouwen om de vreemdeling ademloos aan een brug te nagelen. Steden als Haarlem, Delft, Gouda en Dordrecht hebben geen ballonnetjes, vetpotjes, slingers en heel de santekraam van op hol geslagen winkeliers nodig om hun hotels vol te krijgen. De mensen komen heus wel. En ze komen niet om ons en om wat wij in een vloek en een zucht aan 'attracties' bedenken. Ze komen om onze voorvaderen en om wat zij, eeuw na eeuw, langzaam en weloverwogen, hebben opgebouwd. En beseffen wij wel: die stadhuizen, markthallen, kerken en waaggebouwen zijn niet verrezen uit het verlangen de buitenlander een plezier te doen. Zij zijn gemetseld in vorstelijk egoïsme: voor particulier genoegen, uit eigen winzucht of om een persoonlijke devotie, zonder de overweging wat vreemdelingen daar wel van zullen denken. Wie dááraan denkt, denkt internationaal, in de slechtste zin van het woord. En hij maakt de lorreboel die overal elders, door heel Europa, opgeld doet. Slechts wie zichzelf blijft, heeft iets te bieden wat nergens te vinden is.

Het is eigenaardig: de hele winter snakken de mensen naar wat zon en stellen zich voor om dan in hun tuin of op het balkon daar uitgebreid van te genieten. En nu die zon schijnt is er bijna niemand thuis. De meest voorkomende vorm om aan die zaligheid te ontsnappen is het huren van een ander huisje. Hiertoe kiest men een houten keet, liefst op de Waddeneilanden of, als die bezet zijn, in een moerassige streek waar geen gas, water en elektriciteit is en rept zich daar heen met zoveel beddegoed als er achter in de auto kan. Wie geen auto heeft ziet er niet tegen op om over de Afsluitdijk te fietsen met een aantal rubber matrassen, die ter plaatse kunnen worden opgeblazen met de adem die men dan nog over heeft.

Het huisje dat door de verhuurder in een prospectus als 'riant' omschreven is, blijkt een bouwval te zijn en van het 'onbelemmerd uitzicht op de zee' is alleen sprake vanuit het zolderraam, waar men inderdaad een streep vocht in de verte ziet. Begeeft men zich daar te water dan holt er een man met een toeter het duin af en vraagt of u gek geworden bent, want juist hier is een gevaarlijke onderstroom, die al twintig badgasten heeft meegesleept. Op bepaalde uren is die onderstroom er niet, dat moet hij toegeven, maar dan is er een bovenstroom en geef mij die onderstroom maar. Hij heeft geoefende zwemmers gekend en die verdwenen gillend in de diepte, je staat er bij en *niets* kun je doen. Tweemaal in de week, als de sluizen bij het Koude Gat open zijn en er in de Friese Reet gespuid wordt is er geen stroom en je *zou* dan kunnen zwemmen als er niet – en hier begint de man te glimlachen – in de kwelders een tegenstroom op gang kwam en die is nog veel gevaarlijker, al lijkt dat zo niet. Hij heeft volwassen kerels niet verder dan hun knieën in het water zien gaan en het volgend ogenblik waren ze verdwenen. Bij die twee andere stromen hoorde je nog weleens gillen, maar hier geen kik. Nu komt het wel voor – en hier gaat de man zitten en steekt een pijp op – dat zowel de Friese Reet als het Koude Gat open zijn en tegelijk het boezemwater bij de Wijde Zak geloosd wordt. De zee is dan plat stil, maar op dit moment hebben de kwallen gewacht. Is de beet van een kwal dodelijk? Nee meneer. Maar als je van top tot teen onder de kwallen zit, dan blijf je dat je *hele* leven merken, want de kwallenbeet werkt *door*, je bent de oude niet meer. Hij heeft bomen van kerels gekend die lachend het water ingingen en de rest van hun leven suf achter een raam zaten, de pit was er uit, geen lachje kon er meer af.

Nu de zee is afgesloten begeeft men zich landinwaarts, want in dat huisje is het natuurlijk niet uit te houden. Men loopt door de brandende zon en gaat ergens zitten, nadat men met een tak een aantal mieren heeft doodgeslagen. En zie, daar ontmoet men een herder. De man loopt bekommerd op u toe en vraagt of u nog nooit van de koddekever gehoord hebt. Nee, dat heeft u niet. Hij neemt er nu zijn gemak van en legt u uit wat de koddekever zo allemaal doet. Dit is verbazingwekkend. Het is maar een klein diertje, niet groter dan een speldeknop, maar laat hem maar schuiven. De beet van de koddekever ziet er in het begin vrij onschuldig uit, maar na drie dagen beginnen de complicaties al. Eerst een kleine zwelling. Och, denk je, een beetje jeuk, ben ik geen jongen van Jan de Wit? Maar na een week piep je wel anders. Het diertje nestelt zich namelijk onder de huid en dan *ben* je eigenlijk al te laat. Ofschoon hij weigert namen te noemen heeft hij mannen gekend in de kracht van hun leven, die elk jaar in een rolwagen weer terugkwamen, want de streek *blijft* trekken, dat moet gezegd worden.

Veel gevaarlijker dan de koddekever is de plaktor en die komt veel voor op de plek waar u nu zit. De plaktor hecht zich aan de huid en veroorzaakt daar een uitslag, waar de doktoren machteloos tegenover staan. Ze *weten* het niet en dat is het eigenaardige van de plaktor. Aanvankelijk ziet de huid alleen een beetje rood, meer niet. De mensen smeren er een zalfje op en daar moet hij altijd weer smakelijk om lachen, want er *bestaat* geen zalf tegen de plaktor en hoe komt dat? Kijk, als we dat wisten dan kon u gerust hier blijven zitten. Hij heeft niets over u te zeggen, u moogt gaan en staan waar u wilt, maar u weet het nu en u bent verder oud en wijs genoeg.

Men keert neerslachtig naar het huisje terug en hier begint de ellende pas goed. De eigenaar heeft namelijk verzuimd kasten aan te brengen. De oplossing hiervoor is dat men zijn bezittingen op de vloer zet en de inspanning om dat leuk te vinden is na enkele uren al slopend. Omdat het optrekje op geen enkel gasbedrijf is aangesloten werkt men met cilinders, die door de vorige bewoners geheel leeg zijn achtergelaten. Gelukkig heeft men een primustoestel meegenomen, waarop in vijf talen staat afgedrukt wat men er allemaal mee kan doen. Doet men dit, dan komt er een vreemde rioollucht uit, die al spoedig het gehele huisje vult. Houdt men hier nu een lucifer bij, dan explodeert het. Na de vijfde knal komt de eigenaar van de bouwval, die een eind verder in een stenen huis woont, haastig binnengelopen en informeert naar de bedoeling hiervan. Er staan rijen mensen op dit huisje te wachten en als u niet oppast dan gaat u er niet uit maar dan *vliegt* u eruit. Hij noteert de vijf gebroken ramen in zijn zakboekje en neemt verbolgen afscheid, want ook elders in de omtrek begint het te knallen en hij laat niet met zich spelen.

De bedden in het huisje zijn boven elkaar aangebracht en dat is het handige ervan, want op die wijze spaart men enorm veel ruimte. Men blaast nu het matras op en gaat liggen. Ook de andere huisgenoten hebben dit gedaan en men fluistert elkaar buiten adem toe hoeveel leuker dit is dan thuis. Deze vreugde is echter van korte duur, want men merkt al spoedig dat men bezig is te zakken. De gezinsleden bespeuren dit eveneens en men constateert een lek. Geen nood. De fabrikant, die weinig verwachting van zijn eigen produkt schijnt te hebben, heeft er stukjes rubber en een tube lijm bijgeleverd, maar in de binnenkant van een doosje, waarin deze hulpmiddelen zich bevinden, staat wederom in vijf talen afgedrukt dat men na het plakken ten minste drie uur op het drogen moet wachten, hoewel vier uur beter is. Men gaat nu op de houten vloer elkaar verhalen vertellen, na wederom kneuterig te hebben vastgesteld dat dit thuis niet kan, hoewel dit op een vergissing berust, want als men daar het kleed wegrolt zit je ook op de planken. Alleen, je *doet* het niet en dat is inderdaad waar.

De verhalen blijken weinig onderhoudend, dan maar een liedje gezongen en wel de Driekusman. Maar reeds bij het tweede couplet komt de buurman naar binnen. Hij kan best de zon in het water zien schijnen, maar dit gaat hem toch te ver. De man heeft zelf twee nachten vergeefs in zijn matras geblazen en lag juist met de dood in het hart op een nieuw lek te wachten toen die ellendige Driekusman hem van zijn rust beroofde. Moet dat nou? Is er dan helemaal geen beschaving meer? En wat doet dat oliepitje daar midden op de vloer? Weten we dan niet dat juist *dit* licht de kwadrulantvlieg aantrekt, waardoor deze streek zo bekend is? Maar het is al te laat, het kamertje gonst van de vliegen.

Is de steek van de kwadrulant gevaarlijk? De man wordt nu vertrouwelijk. Niet direct, zegt hij, er gaan soms dagen voorbij met alleen maar jeuk. Maar dan begint het. Hij heeft een man gekend, drie huisjes verderop en die lachte om de kwadrulant. Hij zag hem nog schateren. En wat was er van hem over? Een wrak op een driewieler. En het erge was: er kwam alleen maar wartaal uit, want het gif van de kwadrulant slaat op de hersenen, dat is het eigenaardige en ze zijn er nog steeds niet achter waarom. Er wordt wel aan gewerkt, maar het fijne ervan, nee. En wat doe je daar nu tegen? Flit? Motteballen? DDT? Bij elk van deze middelen schudt de man het hoofd. Integendeel, dat vinden ze juist fijn, niets liever dan dat. Wil je de kwadrulant echt *plezier* doen, dan moet je spuiten. Er is maar één middel en dat is doodstil blijven zitten. En zo zitten we roerloos op de planken vloer en fietsen de volgende morgen de Afsluitdijk over naar huis toe.

Zalig is het om daar in de tuin onder een oude kastanje te zitten, glaasje bier op tafel, pijp in het bekje, vliegenklapper aan de losse pols. Heinde en ver geen buren te zien, want die zitten allemaal op de Wadden of in de moerasgebieden van Zeeland. Geen transistor aan de andere kant van de schutting, geen gekakel aan de overzij. Diepe rust. En het aardige is daarbij de gedachte, dat het vermoedelijk zo blijft. Want dat die mensen ooit levend terugkomen, dat is niet aan te nemen, of ze moeten van beton zijn. En tegen de scheme-ring, dan sta je op en gaat naar binnen. Je draait daar een knop om en de hele kamer staat opeens vol licht. Ongelooflijk.

Uit Schiermonnikoog, zomer 1969

(Lucht)Foto genomen door Henk Terlingen (voorstellende de getijstroom op de wadden) van de 'mare' Schiermonnikoog, waar wij met het blote oog niet meer zijn waar te nemen. Door de modder is de zwaartekracht 2,3 en zijn wij wat uit elkaar geraakt. Eva zal het wel niet halen. De aanblik is groots, het is een mijlpaal in de geschiedenis. Kardinaal Al-frink heeft al een telegram gestuurd, maar ja, wat hebben we daaraan.

G. en P.

Dagboek
van
Rottumerplaat

Van 10 tot 17 juli 1971 verbleef Godfried Bomans in volstrekte eenzaamheid op het Waddeneiland Rottumerplaat. Terwijl hij eerder nooit een dagboek had bijgehouden kon hij in 'deze oerwereld van zand, lucht en water' aan de drang niet weerstaan zulks te doen. De hier gepubliceerde tekst is onvoltooid, want de losse aantekeningen die Godfried Bomans daar buiten nog schreef, zijn hierin niet verwerkt.

Een uur 's middags. Een halfuur geleden is de boot weggevaren. Ik ben nu werkelijk *alleen.* Omdat ik zo lang tevoren aan dit moment gedacht heb, is er niets door mij heen gegaan dat mij verrast heeft. Een 'plechtig' soort gevoel. Er is een enorm gekrijs van meeuwen om de tent geweest, maar dat begint nu af te nemen. Alleen die vogels die hun nesten *vlak* bij de tent hebben, hangen nog in de lucht. Het is enorm heet daar binnenin en ik ben blij op het laatste moment een parasol gevraagd te hebben. Die staat nu vóór de tent, met een tafel en een stoeltje. Er waait wat wind. Die ene meeuw, die zijn nest op vijf meter afstand van mijn tafeltje heeft, is nu eindelijk ook neergestreken. De boot heb ik zo lang mogelijk door mijn verrekijker nagekeken. Er is al lang niets meer van te zien. Ik hoop dat ons dochtertje Eva nu niet huilt, nog minder dat ze *stil* verdriet heeft. Kinderen betalen altijd het meest. Zo ver ik zien kan, zee, zee, zee. Daarboven een bleekblauwe lucht. Uit het water begint wat groen op te doemen en dat betekent dat op dit moment, een uur twintig, de eb is ingezet. Ik betrap me erop dat ik telkens naar mensenstemmen luister, maar die kúnnen er niet zijn. De volstrekte onmogelijkheid daarvan is blijkbaar iets, waar je aan wennen moet. Ik bespeur geen enkel gevoel van onrust of verlatenheid. Dit is ook wel wat ik verwacht had, maar je weet zoiets toch nooit *zeker.*

Vreemd: het volle besef dat ik nu werkelijk *alleen* ben wil maar niet tot me doordringen. Je weet dat natuurlijk wel met het hoofd, maar dat is iets anders dan er helemaal van doordrongen te zijn. Dit komt denk ik, doordat zo'n situatie volstrekt nieuw is en tijd nodig heeft om armen en benen te bereiken. Overal, soms midden in zee, zie ik nu groenigheid opkomen. Zojuist mijn behoefte gedaan midden op het strand. Vanzelf kijk je dan eerst overal in het rond om te zien of dat wel kan. Zijn zeven dagen genoeg om dat af te leren? Ik ga nu mijn eerste wandeling maken. Uitkijken waar je loopt, er is veel wrakhout met roestige spijkers, *niets wagen*, er is niemand die je helpen kan als er iets mis gaat.

Vlak voor ik vertrok zag ik vier paaltjes op de horizon staan die er eerst niet waren. Door de kijker zag ik dat het drie mannen waren en één vrouw. Robinson moest achtentwintig jaar wachten eer hij de befaamde 'print in the sand' zag en mij overkomt dit al na een uur. Ze bleken gelukkig afkomstig te zijn van de boot die wij op onze heentocht passeerden en waren dus geen toeristen van ver weg. Afkomstig uit Warffum. Ik heb geen bevoegdheid om zoiets te verbieden en kon niets anders doen dan hen vriendelijk duidelijk te maken waaróm ik er niet blij mee was. Achteraf spijt dat ik toch op dringend verzoek mijn naam geschreven heb op de schouder van één man. Ik deed dit in ruil voor zijn belofte om over dit bezoek verder met niemand te praten, maar toch was het verkeerd, want wat heeft hij eraan als hij dat aan niemand laat zien? Tijdens het korte gesprek cirkelde een vliegtuig van de politie.

Het is nu halfvier. Gelopen naar het huisje met de microfoon en nu weer terug in de tent. Tot de horizon is alles groen. Prachtig – maar het bezoek heeft toch veel verstoord.

Kwart over vijf. De zon staat nog tamelijk hoog, maar het licht is veel mooier dan midden op de dag. Nog steeds tot de horizon alles groen, aan de kant van de Noordzee alleen een breder strand. Kook vier eieren, voor ik om zes uur de afgesproken korte verbinding tot stand breng. Ik probeer door kleine wandelingen rond de tent de meeuwen aan mijn aanwezigheid te wennen.

Kwart over zes. Kort gesprek met Willem Ruis, die in de 'Breedenburg' te Warffum mijn enige contact met de wereld is. Hij vroeg of mij iets mankeerde. Nee. Merkwaardige vraag: of ik op een duintop de boot had nageoogd? Ja. Waarom wil hij dat weten? De kleine conversatie ondervond ik gelukkig niet als een opluchting. Het moest gebeuren, maar was niet nodig. Na dat éne bezoek, vlak na de landing, is er niemand meer geweest. Het is een stille, innige avond, alles met een roze gloed overgoten. Aan lezen geen behoefte. Telkens als ik opsta om iets te doen, vliegt de hele meeuwenkolonie om me heen krijsend op, maar de zwerm daalt veel vlugger dan een paar uur geleden. Parasol neergehaald om vrij uitzicht te hebben over de oneindig groene vlakte vóór me. Het is dus nog steeds eb, ik wist niet dat dit zo lang duren zou. Een emmer water mee teruggebracht na het gesprek om zes uur, want het is zonde om voor het wassen morgenochtend drinkwater te gebruiken. Tien minuten naar Bachs *Wohltemperiertes Klavier* geluisterd, misschien de enige muziek die het tegen die stille pracht om me heen uithoudt. Toch weer afgezet. Het is niet goed om hieraan nog iets toe te voegen.
Ik kan maar niet besluiten om binnen in de tent iets klaar te maken voor het eten, je mist dan buiten te veel. Maar ik merk wel dat ik nooit ver van mijn tent

wegga. Ik heb voorlopig genoeg aan deze plek en kijk maar. Zoiets zie je later toch nooit meer in je leven. Het eiland is nu *enorm* groot en tot aan de einder met een zacht groen overtrokken, daarboven de oneindige hemel als een paarlemoeren schelp.

Voor het eerst naar de Noordzee gelopen. Met het droog gelopen strand mee was het een kilometer. Drie soorten bloemen toch nog. Een langgerekte paarde-bloem met véél knoppen en het tandvormige blad spits en schraal. Dan mooie witte of lila trosjes met glasach-tige bloemetjes, en ten slotte een distelachtige plant, met gele bloemen, die op dotters lijken. Aan die kant veel minder meeuwe-eieren dan aan de waddenzijde, waar om de meter drie eieren liggen. Ik loop zo dat ik de helm (die er moeizaam bijstaat) niet vertrap. Het is kouder geworden, maar ik kan nog steeds (kwart voor negen) buiten zitten.

Als er nu ergens op aarde of zelfs in Nederland iets wereldschokkends gebeurde, dan zou ik het niet weten. Ook is het vreemd te bedenken dat ik nu de meest *noordelijke* Nederlander ben. Hogerop woont er nie-mand meer van dit merkwaardig geslacht.

Ik voel mij vredig en gelukkig. Zó had ik het mij onge-veer gedacht, in al *die* weken daarvóór, toen ik in En-geland, België, Tunis, Libië, Malta en Sicilië aan dit eiland dacht. Het is precies zo uitgekomen. De zon is bijna onder. Een wazige oranje bol.

Een *grote prullenmand*, dat is wat ze voor Jan Wol-kers, over een week mee moeten nemen. Dat is beter dan elke kleinigheid telkens apart ergens te moeten ingraven. Onthouden.

Kwart vóór negen. De zon raakt rechts de horizon, een majestueuze aanblik. Rechts meen ik het water te zien opkomen. Maar recht vooruit is nog alles groen. Vreemd.

Dit is de eerste keer dat op dit eiland een mens zijn gedachten op papier zet. Het moet dan ook meteen maar zo goed mogelijk gebeuren. Over vijf jaar staat het hier vol met landhuisjes en dan kan het niet meer, tenminste niet wat ik hier beleef.

Om precies negen uur is het laatste restje van de zon achter de horizon weggezakt. Het is nog licht. Een pijpje *Schotse* tabak. Heerlijk! Geen muggen.

Zondag 11 juli 1971

Vannacht bijna geen oog dichtgedaan vanwege het enorme gekrijs van de meeuwen. De tent staat midden in een broedplaats, de eieren liggen er vlak omheen, maar dat is over het hele eiland het geval. Om halfdrie 's nachts ging ik naar buiten (oorverdovend kabaal), de maan stond bijna vol aan de hemel, ik kon makkelijk de kleine lettertjes lezen op het blikje rooktabak. Ze zeggen dat er buiten ons nog miljoenen bewoonde planeten zijn in het melkwegstelsel, maar zo'n punctuele afwisseling van dag-en-nachtlicht moet toch zeldzaam zijn. Vanochtend klam en lusteloos. Vermoedelijk koorts. Niet de geringste eetlust. Wel een voortdurende *dorst*. Binnen gebleven van zes uur tot halfnegen en toen moeizaam naar de mobilofoon gesloft. Het bleek dat ik in een programma was opgenomen te Hilversum, werd tenminste verbonden met een volle zaal mensen. Een juffrouw stelde mij vragen. De verbinding werd voortdurend verbroken. Ik weet niet wat er van mijn antwoorden is overgekomen. Hopelijk niet veel.

Ik merk nu (ik schrijf dit zeven uur 's avonds) dat ik twee programma's verwisseld heb. Die zaal met die schalkse juffrouw was om tien over twaalf. Echter: om negen uur figureerde ik in het programma van Bert Garthoff, die mij wat over vogels vroeg. Ik ben de hele dag niet goed geweest en merk nu dat ik vanaf het ontbijt van gisterochtend in Warffum, dus twee dagen lang, niets gegeten heb dan drie gekookte eieren. Ik heb helemaal geen honger, maar drink alles wat ik vin-

126

den kan. Ik zei Willem Ruis bij de afsluiting om halfeen vanmiddag dat ik me bepalen wou tot de controle
om negen uur vanavond omdat ik mij niet goed voelde.
Hij stemde hierin toe, maar informeerde verder niet.
De hele dag is de hitte verstikkend geweest. Ik weet
niet of dit warmte van buiten of koorts van binnen is.
Sliep twee uur. Voelde mij daarna wat beter en ben
heel kalm en met mijn jasje aan het hele eiland eens
afgelopen, want blijven liggen in die moordende hitte
was onmogelijk. Dit is goed geweest. Ik ben alleen erg
moe en zie tegen de kleinste handeling op.

Na het radiocontact *om negen uur* heb ik van mijn
moeilijkheden iets gezegd en ontmoette veel begrip.
Het contact om negen uur morgenochtend kon ik geannu-
leerd krijgen, zodat ik de hele ochtend heb tot halftwaalf om bij te komen en dan op mijn sloffen naar de
mobilofoon te lopen. Ik moet alles nu heel kalm doen,
want ik zou het me nooit vergeven als dit avontuur
door zo'n stomme oorzaak moest worden afgebroken.
Het eerste pakket opengemaakt, dat eigenlijk voor de
dag van gisteren bestemd was. Geen fut om iets te ko-
ken, maar een blik erwten helemaal leeg gegeten,
daarna fles wijn gedronken (Meursault, uitstekend),
een klein blikje perziken en ten slotte een minuscuul
flesje met drie vruchtjes erin, gedrenkt in cognac. Ik
voel mij nu weer veel beter, maar heb toch tegenzin
om dit journaal te vervolgen. Heb nog steeds een niet
te lessen dorst.

Zojuist, *om tien uur,* het luchtbed met de voetpomp
opgeblazen. Van deze kleinigheid ben ik weer doornat.
Dit is zorgwekkend. De minste bewegingen moet ik
bovendien zeer voorzichtig en *geluidloos* maken, want

127

anders vliegen er vijftig meeuwen op en die blijven
een kwartier lang krijsend om de tent in de lucht hangen. Je voelt je schuldig telkens een belangrijke bezigheid in de natuur (het broeden) te onderbreken. Er
komt op die manier niets van die kuikens terecht.
Voortdurend blijft er één meeuw *onbeweeglijk* voor
me in de lucht hangen: de eeuwige schildwacht. Het
krijsen heeft veel nuances: zo maar, om wat te ventile-
ren wat zuiver persoonlijk is, onderlinge vetes, en daar
trekt verder niemand zich wat van aan, maar ook
alarm (ik) en dan gaat de hele kolonie als één man op
de wieken.

Het is nu bij elven. Heerlijke koelte en het is jammer
om in zo'n nacht en met dit uitzicht naar bed te gaan.
Toch geloof ik dat dit in de gegeven omstandigheden
verstandig is. Hoop innig dat mij dit keer wat slaap
beschoren is.

Vanmorgen om zeven uur wakker geworden na een voortdurend door gekrijs onderbroken slaap. Was erg bezweet en dronk drie colaflesjes leeg. Daarna als een blok geslapen tot halftwaalf. Voelde mij beter, maar nog steeds zwak op de benen toen ik naar de mobilofoon liep. Uitzending twaalf uur. Ik ben ervan uitgegaan dat de mensen alleen interesse hebben in moeilijkheden *die* uit het *eiland* voortkomen, niet in een griep. Achteraf zie ik in dat dit standpunt verkeerd is. Wie zoiets verzwijgt komt in irreële praat terecht, want hij spreekt om iets heen. Voel ik mij morgen nog steeds koortsig en moe, dan zeg ik dit. Tijdens de uitzending kwam er opeens een *duif*, de eerste die ik hier gezien heb, te voorschijn en ging op mijn *schoenpunt* zitten. Willem vertelde, dat de luchtpolitie een pakje zal laten vallen waarin dat spul zit waarmee je je oren kunt afkurken.

Ik was nog maar een halfuur terug of daar cirkelde het vliegtuig al boven de tent. Het pakje daalde aan een kleine parachute naar beneden en kwam *tien* meter van mij terecht.

Geprobeerd wat kalfsvlees te eten – nog steeds uit het eerste pakket – maar dat bleef er niet in. Gelukkig kon ik een eind van de tent weglopen. Ik voelde me opeens diep neerslachtig. Ik ben *nooit* ziek en dat moest nou net nu gebeuren. Blijf maar wat zitten voor de tent, buiten de wind. De zon werd om drie uur zo heet dat ik alles uittrok. Je moet *wennen* aan de gedachte dat *niemand* je in die toestand kan zien. Het duurt ook een tijdje voor je je onbevangen rondbe-

weegt. Ben je daar eenmaal van doordrongen, dan
geeft dit een heerlijk gevoel van *bevrijding*. Opeens
bedacht ik dat ik de enige in de verre omtrek ben die
zich van zichzelf *bewust* is. Van al die miljoenen we-
zens om me heen *denkt niemand na*. Ik ben de enige.
Ik kan overigens niet zeggen dat dit denken zich onderscheidt van vroeger. Een heleboel mensen zeiden
me dat men in een situatie als deze tot ongekende diep-
ten van introspectie komt, maar hiervan heb ik niet
veel gemerkt. Misschien dat al mijn energie wordt ver-
bruikt om lichamelijk overeind te blijven en weer gezond te worden. Ik heb nu moeite met schrijven. Mijn
hand beeft en alleen door vast te drukken kan ik dit
tegengaan. Ik stop even. Koffie zetten. Het is acht uur.
De stoelgang heeft me veel pijn gedaan. Vermoedelijk
zagen de meeuwen in dit hurkende wezen een minder
weerbaar iemand. Ze snorden in duikvlucht vlak langs
mijn hoofd en ik ben blij dat het voorbij is. Het onder-
gaan van de zon is telkens het mooiste moment van de
dag. Ook vlak daarna is alles nog innig, maar dan wordt
het donker en weet ik niet goed wat ik moet doen.
Voor meteen slapen is het te vroeg. De lamp aansteken
met de tent open, dat trekt de vliegen aan (muggen
zijn hier niet) en om de tent te sluiten, daar heb ik iets
tegen. Ik voel me dan in een cocon met licht midden in
de duisternis en dat maakt me kwetsbaar. Ik blijf nog
maar wat buiten zitten met veel kleren aan. Op zulke
momenten, meer dan overdag, besef ik werkelijk dat ik
alleen ben. Er is daarbij geen moment van ongerust-
heid. Wel *dit*: het is natuurlijk allemaal heel indruk-
wekkend wat je ziet, maar het zou *meer* zijn als je dit
met een ander delen kon. Door zijn antwoord voeg je
er weer wat bij en kom je op nieuwe gedachten. Hoe
lang zou je dit kunnen volhouden zonder in geestelijke

inteelt te verzanden? Ik denk dat voor een sterk iemand, die met *veel* inhoud hieraan begint, een halfjaar het uiterste is. Daarna is de batterij uitgeput. Misschien brengt een heilige het verder. Hij heeft nog andere toevoerkanalen. Dit herinnert me aan wat ik hier het eerste deed. Toen de boot niet meer te zien was ging ik naar binnen en knielde, net als heel vroeger. Ik weet niet of God bestaat. Maar ik deed het toch.

Ik weet eigenlijk niet goed wat eerlijkheid is. De voorbeelden die ik ervan gezien heb vond ik nogal saai. Ik ben een speels iemand. Het is leuk en ik kan het ook niet laten om het leven te proberen in verschillende varianten, net als in het schaakspel, en niet met één opening te volstaan. Er is zelden iets wat ik zeg of denk of het tegenovergestelde gaat ook door mijn gedachten. Vroeger schaamde ik mij daar wel voor. Ik probeerde dan wel te doen als de ernstigen, maar kwam dan altijd in een kramptoestand. Toen kwam er een periode van berusting in het onvermijdelijke. Maar het laatste jaar denk ik: ik *ben* zo en daar *maak* ik iets van. Ik voel me daarin veel gelukkiger. Er lukt me ook meer.

Zojuist - negen uur - kwam er een helikopter vlak boven me. Ik zag de man een foto maken. Eigenlijk *ben* ik hier helemaal niet alleen. Duizenden mensen denken aan me.

Halftien. In de tent. De lamp weigert. Dan maar een kaars aan. De meeuwen beginnen me te aanvaarden en daardoor kan ik het geluid van de branding veel beter horen. Ik voel mij beter dan gisteravond, maar het blijft vreemd dat ik nog steeds geen honger heb, terwijl ik toch drie dagen lang niets anders gegeten heb dan drie eieren, twee sinaasappels, wat perziken en een blikje erwten. Daarentegen staan er buiten veertien lege flessen! Rook mijn pijpje met Schotse tabak en voel mij zeer tevreden. Met die oorwatjes zal ditmaal de slaap ook wel komen. In de tent is het nog steeds de grootste rotzooi en daar moet ik morgen eens wat aan doen. Laatste flesje cola. Ik mag vaststellen dat ik *deze* eenzaamheid uitstekend verdragen kan. Twee dingen hinderen mij: mijn ziekte, wat dit dan ook is, en het feit dat ik elke dag tien minuten lang door de radio wat zeggen moet, omdat dit laatste het isolement, de autarkie dus, telkens doorbreekt. Ik voel het als een soort prostitutie om voor tienduizenden mensen te zeggen wat er *werkelijk* door je heengaat en red me er zo uit dat ik me daar achteraf niet voor hoef te schamen. Ik begrijp ook dat dit moet. De radio is geen liefdadigheidsinstelling en mag er wat voor terugverlangen, dus we moeten daar verder niet over zeuren. Het begint te waaien en het wordt opeens veel killer. Morgen is het dinsdag. Ik heb er moeite mee de dagen uit elkaar te houden. Het hete gevoel is nu tenminste weg. Heel in de verte, naar het zuidwesten toe, zie ik een vuurtoren flitsen. Schiermonnikoog?

Halfelf. Heel leuk. Met mijn pyjama aan binnen aan het tafeltje nog wat schrijven, al weet ik helemaal niet wat. Iemand die schrijft kan eigenlijk niets gebeuren. Door de gebeurtenissen vorm te geven blijft hij de baas. Het begint overigens flink te waaien, maar dit is een 'stormtent'. Het luchtbed dat ik gisteren opblies blijkt niet te zijn leeggelopen. Fini.

Vijf uur wakker van gekrijs. Daarna nog wat gedommeld. Op weg naar de oproep van negen uur: warm en wankel. Geen antwoord. Bedacht opeens dat ik gisteren mijn horloge opgewonden heb zonder te kijken of het al *had* stilgestaan. Hoe moet dat nu met twaalf uur als het niet goed meer loopt? Opende de enveloppe met 'Noodgeval' en vond een sleutel. Binnen het huis de marefoon geprobeerd en Scheveningen opgeroepen. Geen antwoord. Er was ook een radio en die heb ik net zolang beluisterd tot ik iemand de tijd hoorde zeggen: 'even na tienen' zei de man. Dat klopte met mijn horloge en het ligt dus niet aan mij. Maar dan hoef ik ook geen alarm te geven. Op de terugtocht merkte ik hoe moe en bezweet ik was. Ik kan ook nog steeds niets eten en het is nu al de vierde dag dat ik alleen maar drink. Als daar geen wending in komt gaat het mis en daar zou ik m'n hele leven de smoor in hebben. Ik bedenk nu dat ik verschillende malen over dit niet-eten met Willem gesproken heb, maar hij zei daar geen boe of ba op. Denken ze daar in Warffum misschien dat dit niet waar is omdat ik in mijn koffer eigen eten heb meegebracht? Heb ik koorts dat ik zulke dingen denk? Ik kan de thermometer niet vinden. Halftwaalf. Ga maar weer.

Halfeen. Ik ben erg opgelucht dat Willem gewoon *vroeg* hoe het me lichamelijk ging. Nu ik de situatie kalm heb toegegeven en er niet meer omheen hoeft gepraat te worden, voel ik me met dit ziek-zijn niet meer alleen. Toen ik vanochtend met die sleutel in dat huisje ging, trof mij niet alleen de betrekkelijke luxe van het interieur (normale stoelen, tafels en ... ruimte!), maar vooral de plotselinge *windstilte*. Je staat voortdurend op de tocht en het was een werkelijke verademing van dat aanhoudende gefluit en geruis even af te zijn. Ik heb daar tien minuten zitten uitblazen en daarna de sleutel bij de mobilofoon weer aan het haakje gehangen. Ik moet daar niet terugkeren.

Uit het gesprek bleek dat er was afgesproken: géén contact om negen uur. Ik heb dit dus niet gehoord of niet onthouden.

Bij het controleren of de sleutel in de enveloppe was teruggelegd, vond ik mijn *pijpschoonmaker* erin! Dit wijst op een wat verwarde geestestoestand. Ook is het een slecht teken dat zelfs een pijp mij niet meer smaakt. De thermometer wijst 37,6 aan. Dit is geen koorts. Weer een zorg minder.

Halfvier. In de call van drie uur zei Willem dit: er wordt driemaal per dag geluisterd, ook als ik niet verschijnen zou. Dit betekent dat ik contact kan krijgen buiten die ene vaste call. Dit duidelijke blijk van medeleven heeft me een groot gevoel van vreugde gegeven, zoiets weegt in het isolement waarin ik verkeer opeens bijzonder zwaar. Dit, gevoegd bij die thermometer, maakt me veel opgewekter dan ik gisteren was. Ik loop namelijk al een tijd rond met de mogelijkheid in mijn hoofd dat ik het niet zou halen. Niemand zou toch geloven dat ik precies in die ene week ziek was en het als een alibi beschouwen voor een *geheel andere reden*. Ik zou dat tenminste denken, als ik zoiets hoorde van een ander. Nog steeds niet de minste zin om iets te eten en buiten die *paar* dingen uit dat eerste pak - dat nota bene voor *zaterdag* bestemd was en nu is het

134

dinsdagavond – is alles onaangetast gebleven. Tegen zeven uur zal ik het 'depressiepak' eens openmaken, misschien is daar iets bij dat over alle hindernissen heen springt.

Het moeilijkste moment van de dag: het inslapen. Ik kan op zo'n veldbed mijn draai niet vinden en hoor tientallen geluiden. Ik zie telkens tegen dat uur op. Het beste is om wat later naar bed te gaan, bijvoorbeeld twaalf uur. Als de lamp het doet kan ik wat lezen in Egon Friedells *Kulturgeschichte der Neuzeit*, waarin ik vanmiddag een stuk gelezen heb en dat mij zeer bevalt. Lezen, dat ik – terecht – haast niet deed tot nu toe, geeft een grote geborgenheid. Je schuilt opeens onder de paraplu van een ander. Onder deze omstandigheden vind ik dit ook geoorloofd. Ik zit hier niet om een Spartaans hoogstandje te maken.

Behalve de stem van Willem heb ik niet het idee met iemand in contact te staan. Ik *weet* wel dat daarachter duizenden luisteraars staan, maar dat blijft een abstractie en dringt niet als een *levend* feit tot mijn bewustzijn door. Dit komt misschien doordat je hier zo *reëel* leeft en alleen met de dingen van de aarde en de *tastbare* werkelijkheid te maken hebt. Daarin is geen plaats voor draadloze fenomenen als de radio, die iets schimmigs krijgen in een oerwereld van zand, lucht en water.

Halfacht. Het depressiepak opengemaakt en een verzameling delicatessen aangetroffen. Gegeten: asperges, pâté, vruchten op stroop en gember. Daarbij fles zeer goede wijn gedronken. Driekwart is nog over en bewaar ik voor morgen. Hoewel ik het ook had kunnen laten en dit bepaald *wilde* doen voel ik mij nu weer wat beter. De niet te stillen dorst echter blijft. De hemel is bedekt en het waait, maar dat doet het hier altijd. Voortdurende wind maakt moe.

Zojuist op het duin achter me geklommen en door de kijker de hotels van Bornholm gezien. Ik loop weinig en blijf voor de tent zitten. Elke avond is anders. Nu is alles grauw, maar met veel verschillende tinten van grijs. Recht voor me bijna geen water meer. De wolken laag en loodkleurig. 'En de aarde was woest en ledig.' Het is werkelijk een visioen van de Genesis.

In meeuwen zit niets liefs. In de sternen wel. De duif was er vanochtend weer, bij de werkschuur. Hoort waarschijnlijk bij de mannen. Je kunt zeggen: de mens is ook een roofdier, maar de andere roofdieren wonen toch liever in zijn nabijheid.

Van 'diepe gedachten' geen spoor en ik doe er ook niet de minste moeite voor. Toch zal ik na afloop hiervan een ander iemand zijn, dat voel ik, nu ik halverwege ben. De verandering zit hierin: dat ik vrede heb met mezelf. Ik heb veel aan vroeger gedacht, vooral aan mijn jeugd, en vele gebeurtenissen die ik dacht vergeten te zijn, kwamen langzamerhand boven, zoals hier het gras boven het water, als het eb is. Ik zie nu beter dan eerst en nú eigenlijk pas goed, dat ik ben wie ik ben en dat het zo heeft moeten zijn. Ik heb geen wrevel, geen spijt en geen wrok meer tegen het verleden. Zo is het allemaal gelopen en ik genees van mijn wonden. Dit oude verzet was een rest van onvolwassenheid. Ik heb meer dan de meeste mensen hebben. Ik merkte dat wel aan hun aandacht voor wat ik zei of deed, maar ik kon het zelf nooit geloven.

Ik dacht altijd: ze vergissen zich en elke enge droom die ik 's nachts had kwam hierop neer dat ze die vergissing plotseling zouden inzien. Nu denk ik: wat *valt* er eigenlijk in te zien? Weten zij soms iets wat ik niet weet? Alleen al dit: zouden ze me hier op dit eiland gezet hebben als ik niet iemand *was*? Ik zie nu beter dan vroeger in dat die diepe twijfel aan eigenwaarde in mijn jeugd heeft wortel geschoten, maar dat betekent niet dat ik met alle macht aan die plant ga rukken, want die krijg ik er toch niet uit, maar wel dat hij te *leiden* is, zó, dat ik er wat aan *heb*, bijvoorbeeld tot zelfkritiek, dan doe ik er wat mee.

Voor de aardigheid om *halfnegen* naar het huisje gewandeld en met Willem gesproken. Hij verwacht van de komende uitzendingen een meer *beschouwelijke* inhoud en daar heeft hij gelijk in. Toch sta ik hier voor een dilemma. Ik ben als de dood voor exhibitionisme van mijn diepere gevoelens, vooral als ik denk aan de *omstandigheden* waarin geluisterd wordt. Aan de andere kant denk ik: waarom eigenlijk *niet*? Je praat telkens toch maar tot één mens, want de radio *is* geen 'massa'-medium, het is een hoorn in één oor en juist *niet* een menigte. We moesten dat maar eens doen, niemand hoeft bedremmeld te zijn voor wat hij echt *meent*. Ik vind dat Willem mij goed begeleidt, vooral de laatste tijd. In het begin niet zozeer. Het is bij tienen. Het licht van de batterij wordt zwak. Laten we proberen te slapen.

137

Halfzeven 's morgens. Het stormt en de tent gonst als een cello. Trübes Wetter. Tot vijf uur goed geslapen, daarna nog een uur liggen suffen. Ik ben niet meer bezweet wakker geworden. Thee gezet en een busje kaascrackers opgegeten. Pijpje Schotse tabak. Gelezen in Friedell. Wat aantekeningen gemaakt voor de radioverbinding van twaalf uur. Willem verwittigde mij vooraf van de vraag of de eenzaamheid het religieus besef versterkt of iets dergelijks. Ik verzocht hem die vraag niet te stellen en daarmee deed ik verkeerd. Ik had beter in de uitzending zelf kunnen zeggen: daarover spreek ik niet tegen onbekenden, maar misschien had hem dat in verlegenheid gebracht. In het vervolg moet ik het maar laten komen. Intussen is de vraag zelf begrijpelijk. Omdat ik voortdurend als een stip in een onafzienbare vlakte zit, groeit de behoefte aan houvast en denk ik vaak: heeft dit allemaal een bedoeling? In een soort horror vacui zoek je een spil, waar die onbegrijpelijke wereld om draait en ik begrijp nu opeens waarom vele zeelui godsdienstig zijn. De gedachte dat heel deze wilde barbarij alleen maar zichzelf betekent is voor mij even raadselachtig als het aannemen van super-intellect, dat voor dit alles een bestemming heeft uitgedacht. Ik zit in een soort oer-verbazing gevangen.

De zee schuimt tot aan de horizon, een pan melk die overkookt. De tent siddert en brult, maar houdt het nog steeds. Midden in al dat geweld zit een meneer aan een tafeltje, die schrijft. Tussen al die blinde reuzen, een dwerg die ziet? In de *panische* onbewustheid een stukje besef, een zuiltje dat denkt. Al wordt het nog zo bar, dit *blijft* waar. Ik word moe van al dat gebrul om me heen. Dit is iets waar ik helemaal niet op gerekend heb: het *uitputtende* van voortdurend in de *wind* te leven. In de tent is het erger dan daarbuiten. Ik moet er even uit om uit die Turkse trom te komen.

Halfvier. Om drie uur met Warffum gepraat. Willem houdt die gesprekjes - en dit volkomen terecht - zeer kort, maar ze doen me toch goed. Met deze windkracht moet ik de tent sluiten, zei hij, en dat heb ik nu gedaan. *Ik merk nu pas dat ik een baard heb.*
Ik kan nergens een spiegeltje vinden. Dit is vermoedelijk gelukkig. Ik heb in alle gedoe eenvoudig vergeten me te scheren en laat het nu maar. Voor het eerst sinds vijf dagen wist ik niet goed wat ik doen moest en tekende zich een begin van verveling af. Toen bedacht ik dat een heleboel mensen denken: houdt die gek het uit? en die gedachte gaf me al mijn spanning weer meteen terug. Ik heb me daar nooit mee beziggehouden en dit besef komt precies op tijd.
Over die éne kilometer naar het radiohokje doe ik altijd 20 minuten. Ik beweeg me over het puin als iemand in een langzaam draaiende film. Die *slow motion,* waartoe ik me gewoon *dwing*, is noodzaak. Eén gebroken been of zelfs maar een verzwikte enkel en het is uit met de pret. Gevaarlijk zijn ook de roestige spijkers in het wrakhout. Er is niemand die me dan helpt.
Gewetensvraag: zal ik blij zijn als ik zaterdagmorgen, dat is dus over drie dagen en drie nachten, de boot zie die me hier komt weghalen?
Ja, dolblij.
En niet alleen omdat een mens een sociaal dier is, want dat valt me nogal mee, maar vooral door het zitten in

zo'n kleine ruimte, waar ik over alles struikel en waar elke beweging een probleem is. Daarbij dat aanhoudende lawaai om je heen van het flappende tentzeil. Het regent al twee uur lang, maar dat vind ik minder erg dan de wind, die me doodmoe maakt. Ik ben in mijn regenjas om zes uur eens gaan horen en Willem vertelde me dat dit tot morgen zal aanhouden, de regen bedoel ik. Maar fijner zou ik het vinden als de wind ging liggen. Hij wil morgen voor de radio met me praten over de verveling. Laten we dat maar eens opschrijven, want ik sta daar morgen weer in de wind naar gedachten te zoeken en heb dan achteraf spijt over wat ik gezegd heb.

'De verveling. Dat is één van de weinige dingen waar ik nooit last van heb gehad. Ik las, ik luisterde naar muziek, ik schreef, ik speelde piano, ik liep in mijn tuin of ik praatte wat met een goede vriend. Dit laatste heb ik altijd het heerlijkst gevonden: uitwisselen van gedachten. Ik ben een sociaal dier. Dat kan hier allemaal niet. Je hebt natuurlijk de natuur, en die is ook wel mooi, daar niet van, maar na vijfeneenhalve dag ben ik tot de ontdekking gekomen dat de omtrek van Haarlem veel mooier is. Ik zal dat hier niet hardop zeggen, maar het *is* wel zo. En dan: ik ben niet zo'n erg natuurmens. Ik beschouw de natuur meer als de afstand tussen twee steden. Nou ja, dat is een beetje overdreven, maar waarom zou je ook niet eens overdrijven? Gisteren bijvoorbeeld had ik het moeilijk. Het regende de hele middag en met regen ga ik niet naar buiten, dat doe ik niet. Ik heb erg veel eerbied voor de mensen die dat wel doen, maar ik beschouw ze toch als zonderlingen. Goed, dan zit je binnen. Nu verwacht je misschien dat ik me dan verveel. Dat is niet zo. Ik ben namelijk een onhandig mens. Alles in mijn tent valt om en ik heb zoveel werk om alle potten en pannen bij elkaar te houden dat ik handen te kort kom. Ik ben voortdurend dingen aan het rechtzetten. Als dat gebeurd is ga ik in mijn klapstoeltje zitten om er eens echt van te genieten. En dan valt alles weer om. Zo ben ik voortdurend bezig. Een handige jongen die heeft het *veel* moeilijker. Die kan zich werkelijk vervelen. Hij zet alles netjes op zijn plaats, en dan denkt ie: wat zal ik nou es doen? Dat *heb* ik niet. Ik ben aldoor bezig de wanorde te herstellen en kom dan in een nieuwe puinhoop terecht. Over.'

Dit is twee minuten, op zijn hoogst tweeëneenhalve minuut, we moeten dus iets erbij bedenken. Willem dringt nogal aan op de ernstige toer. Voor de hand liggend is dan: kun je een punt noemen waarin dit leven verschilt van het gewone?

'Ja. Je bent om te beginnen alleen en dat betekent: je bent met jezelf. Maar dat *is* gezelschap. Voor iemand die zich splitsen kan, is dat *ook* een metgezel. Je moet een zekere geoefendheid bezitten om iets te doen en tegelijk die handeling als buitenstaander te bekijken. Wie dat nooit gedaan heeft moet zich niet op een onbewoonde zandplaat laten afzetten, want hij springt gillend in zee. Kijk, die splitsing in de man die iets doet en de man die waarneemt, hoeft in het gewone leven niet lang volgehouden te worden, maar hier duurt dat zeven dagen. Dat is lang. Een extravert mens, iemand die zelden naar binnen kijkt, houdt dat niet vol.

Of hij houdt het vol om prestige-redenen en hij komt dan in een kramptoestand terecht. Hij geeft een nummertje weg. De bedoeling is dat het ontspannen gebeurt, hij moet niet in de war raken. Dat wil niet zeggen dat ik niet blij zal zijn als overmorgen de boot me komt halen.

Dat zou ook weinig vriendelijk zijn tegenover mijn familie, vrienden en kennissen. Maar er mag geen wrak over de loopplank aan boord komen. Een opgewekt iemand, die natuurlijk dolblij is dat hij weer met iemand praten kan. Over.'

'Verlang je naar dat ogenblik?'

'Ja. Het is in zover een arm leven, dat je alles voor jezelf houdt. Je deelt niets mee. Ik geloof dat de aardigheid van het leven bestaat in ontvangen wat een ander heeft en in geven wat je zelf hebt. Die twee kanalen zijn hier afgesloten. En dat ga je missen. Natuurlijk zijn er elke dag die tien minuten, maar daar kan ik niet veel in kwijt. Het is ook erg kort. En ik *zie* ook de ander niet. Dat is een enorm verschil. Je kijkt niet in ogen die je begrijpen, je ziet geen hoofd dat knikt, je *blijft* alleen. Je wordt er zelfs eenzamer door. Het is echt waar, maar elke dag als ik van dit paaltje wegloop voel ik me méér alleen dan daarvóór. Ik ben een *ogen*mens. Het oor is niet voldoende. Er komt alleen een stem uit de grond en als ik terug naar mijn tent slof is het net of ik achter me iemand begraven heb. Over.'

'Je hebt het dus moeilijk?'

'Jawel. Maar ik heb er geen ogenblik spijt van dat ik dit heb aangenomen. Dat iets je moeilijk valt, betekent meestal dat het je sterk bezighoudt. Het is een onderneming waaraan getild moet worden en dat is altijd boeiend. Kijk, dat is ook mijn eigenlijke antwoord op je vraag of ik weleens met verveling te kampen heb. Ik zal mijn hele leven aan deze zeven dagen terugdenken.'

Zo, dit is wel voldoende en nu ga ik vóór het slapen weer mijn pijpje Schotse tabak roken. Ik heb geprobeerd iets te eten, maar het lukte me weer niet. Het is nu bij tienen, het einde van de vijfde dag, en in al die

tijd heb ik niet ontbeten, niet geluncht en *twee* keer
's avonds een kleinigheid gegeten. Toch voel ik me nu
heel goed. Gaat dat zien, de hongerkunstenaar, entree
ƒ 2,50. Het waait nog steeds hard, de hemel is grauw.
Ik hoop in dit lawaai een oog dicht te doen.
Nog dit: de hele dag vandaag zong de stem van die
juffrouw door mijn hoofd waarmee elke uitzending
opent. De 'tune' heet dat. Het is de enige muziek die ik
hoor en die blijft zitten. Vanaf zondagmorgen werkt
dat ene bandje met het *Wohltemperiertes Klavier* niet
meer.

Halfvijf. Voel me zeer moe en lusteloos. Bij vlagen geslapen en dan weer wakker. Zag niets op mijn horloge,
want het was stikdonker. Hoewel ik telkens dolgraag
wilde weten hoe *laat* het was kwam ik maar niet op het
idee om de zaklantaren aan te steken en hieruit moet
ik helaas opmaken dat ik in de war ben geweest. Ik
voel mij echter *niet* klam. Ik ben ontzettend blij dat
deze nacht achter de rug is, want ik heb nogal liggen
tobben. Wat mij vooral verontrust is dat niet-eten. Zojuist een blikje paling opengemaakt. Ik ben daar anders dol op en nu kon ik er maar één stukje van naar
binnen krijgen. Dat gaat niet goed. Gelukkig merk ik
aan mijn handschrift dat ik niet beef, zoals een paar
dagen geleden.
Met het houden van dit journaal ben ik overigens heel
blij. Niet om de inhoud, want het is mij onmogelijk om
iets over te lezen, maar om het feit dat ik dit doe. Ik
heb nooit van mijn leven een dagboek bijgehouden en
was het ook nu niet van plan. Ik moet van het begin af
instinctief gevoeld hebben dat er iets mis was, want ik
heb meteen die metgezel naast me neergezet. De
kracht die ervan uitgaat is het telkens *objectiveren*
van een toestand die abnormaal subjectief is. Zolang
een mens in staat is zijn gedachten te formuleren heeft
hij ze *buiten* zichzelf in een vorm neergezet en kunnen
ze hem niet overweldigen.
Ik heb dikwijls 's nachts angsten gehad. Dit komt door
dat bezoek van die vier mensen kort nadat ik hier aan
land was gezet. Dat is later wel nooit meer voorgeko-
men, ik ben gelukkig *werkelijk* vijf dagen alleen ge-

weest, maar daardoor wist ik: het eiland is *bereikbaar*.
Dit gaf me 's nachts een gevoel van *kwetsbaarheid*.
Daar komt nog *dit* bij: meeuwen kunnen soms, als ze
rustig zijn, een *laag mompelend* geluid maken, en dat
is net of een paar mannen met elkaar staan te beraadslagen. Die gelijkenis is zó bedrieglijk dat ik me telkens
moet voorhouden: het zijn maar meeuwen. Ik geloof
eigenlijk dat hier een oude kinderangst: 'er ligt een
man onder mijn bed' naar boven komt.
Thee gezet. Dit is heerlijk. Het roken smaakt me niet
meer. Verder weer niets aangeraakt. Vreemd is die
duidelijke *afkeer* om iets te eten.
Nog even over die angsten 's nachts. Het laatste jaar
heb ik dreigbrieven ontvangen uit Amsterdam, onder-
tckend 'De Rode Jeugd'. De tekst luidde telkens: 'Wij
hebben besloten u te doden. Die gelegenheid komt.' Ik
heb me daar nooit wat van aangetrokken, maar toen
dat eiland naderde ging het door me heen: dit is een
unieke gelegenheid. Het is kinderachtig om dat te denken, tenminste overdag, maar 's nachts kan ik die gedachte niet altijd van me afzetten. Nu ik dit heb opge-
schreven zal het vannacht misschien beter gaan. Het
zijn trouwens maar twee nachten en nog niet eens twee
dagen, want het is nu halfnegen en ik ga naar het
huisje.
Ik merkte aan de stem van Willem dat hij iets van mijn
minder goede toestand voelt. Het is merkwaardig wat
een verlichting dat geeft. Ik kan hem niet alles zeggen
en dit om twee redenen:
1. uit schaamte;
2. uit vrees dat ze me komen halen.
Die schaamte komt hieruit voort dat ik niet *zeker* weet
of aan mijn toestand griep of verkoudheid ten grondslag ligt óf dat die veroorzaakt wordt door het feit dat ik

van iedereen verlaten ben. Ik dénk wel het eerste en alle symptomen *wijzen* ook op een flinke griep, maar de tweede mogelijkheid *blijft* denkbaar. In dat geval blijk ik op mijn dooie eentje niet veel waard te zijn en dit is een vernederende gedachte, die ik toch onder ogen moet zien. Moeder zei hiervoor: Slappe Tinus. Het enige wat ik wél zeker weet is dat ik dit tot het laatste einde wil volhouden en dat ze me hier van dit eiland moeten *afdragen* wil ik hier eerder weggaan.

Overigens moet ik ook met *die* mogelijkheid rekening houden, want ik voel me slap en begin weer te beven. Wat heb ik verdomme ook gegeten in al die tijd?

Even gelopen. Slap op de benen.

Tijd om naar de radio-call te gaan.

Ik zit nu met die gekke tekst van gisteren, die eigenlijk nergens op slaat. Misschien ook wel goed. Jammeren doe je binnenshuis. Spiegeltje gevonden. Idioot die baard!

Het is onbegrijpelijk, maar Willem vergat vraag 2 ('Is er een punt waarin dit leven verschilt van het vroegere') en vroeg toen iets heel anders, waarop mij in die storm geen antwoord te binnen viel. Ik had tot slot ook nog iets over het pijpje roken willen vertellen, maar dat schoot er wéér bij in. Ook bleef staan het antwoord op: 'Heb je het moeilijk?' Ik stel voor dat we daar morgen mee eindigen, want mijn antwoord daarop is positief en dat is een goede afsluiting.

Eén uur. De zon schijnt. Wat een verschil is dat! Omdat er verder van de buitenwereld niets tot me doordringt, hindert die half mislukte uitzending mij erg. Ik kan me in deze toestand niet permitteren voor de vuist weg te spreken en Willem heeft een ernstige fout gemaakt met zich niet aan de afspraak te houden, hoewel hij mij die gisteren heeft *voorgelezen*. Dit bracht mij in verwarring en zo stond ik opeens voor een 'muur'. In normale omstandigheden heb ik genoeg veerkracht om zo'n onverwachte hindernis te nemen, maar nu bleef ik er verlamd voor staan. Zoiets drukt me, omdat de kwaliteit van die tien minuten de kosten van de onderneming nooit rechtvaardigen. Ik heb daardoor het gevoel te kort te schieten. Ik hoop dat Jan Wolkers het beter doet.

Twee uur. De zon schijnt bij tussenpozen tussen de jagende wolken. Zit voor mijn tent in de beschutting en kijk weer zoals een paar dagen geleden, of was het eergisteren? Ik heb moeite met *geleding* in de tijd te brengen. Die opeenvolging ontstaat in het gewone leven vanzelf, door de *gebeurtenissen*, maar hier gebeurt *niets*. Toch wel, zojuist vloog de luchtpolitie laag over en de piloot groette met het op en neergaan van de vleugels. Dit doet *veel* meer dan het idee dat mensen tien minuten lang naar je luisteren. Hier *zag* je wat.
Om halfdrie is het me gelukt een blikje uiensoep naar binnen te krijgen. Ik ga nu een wandeling maken naar de andere punt van het eiland, waar ik nog niet geweest ben. Onderweg ga ik dan *korte* vragen en antwoorden bedenken. Voor het eerst na een poging tot eten *niet* overgegeven.

Gesprek voor morgen:
Vraag: Godfried, dit is de laatste dag, want morgenochtend om ... uur word je afgehaald en om ... uur stap je bij Warffum weer de bewoonde wereld in. Was het moeilijk?
Antwoord: Ik zou zo graag hierop nee zeggen, want dat klinkt veel beter dan wat ik nu ga zeggen en dat is: ja.

Over.

Vraag: Wanneer had je het moeilijk?

Antwoord: 's Nachts. Over.

Vraag: Waarom?

Antwoord: Door het lawaai van de meeuwen, het klapperen van het tentzeil, het slapen op de grond en door de stemmen die ik hoorde. Over.

Vraag: Wat voor stemmen? Er is daar toch niemand?

Antwoord: Nee. Er is niemand. Het waren meeuwen. Als meeuwen tot bedaren komen houden ze er een dof gemompel op na en dat is net of een paar mannen vlak bij de tent in het donker met elkaar staan te beraadslagen. Over.

Vraag: Was dat eng?

Antwoord: Ja. Je weet telkens dat het meeuwen zijn en telkens schrik je toch weer. Ik denk ook dat in zo'n primitieve toestand oude kinderangsten naar boven komen. Je weet wel: een man achter het gordijn, een moordenaar onder je bed. Over.

Vraag: Ja, dat herken ik. Noem nog eens een moeilijkheid.

Antwoord: Ik kon niet eten. In die hele week heb ik maar drie keer gegeten, en alleen maar 's avonds en dan maar één blikje. Meer bleef er niet in. 's Ochtends en 's middags niets. Dat is niet erg voor één week. Maar het is wél vervelend. Ik voel me nu overigens heel goed.

Vraag: Ik ben misschien vervelend, maar noem nóg eens een moeilijkheid.

Antwoord: Het lawaai.

Vraag: Dat begrijp ik niet. Het is daar toch stil?

Antwoord: 'Nee. Het is hier *niet* stil. Het is een leven als een oordeel. Het waait hier voortdurend. Altijd maar wind. Na zeven dagen word je daar *doodmoe*

148

van. Binnen in de tent zit je in een Turkse trom, waarop een waanzinnige aan het roffelen is en buiten loop je schuin gebogen tegen een storm aan te duwen, die om je oren fluit. Het houdt *nooit* op. Het is nooit even kalm. Het is net of ze hier gek geworden zijn. Zijn ze ook. Over.

Vraag: Het is dus niet meegevallen?

Antwoord: Nee. Maar dat was ook het spannende eraan. Met windstil weer en een onbewolkte lucht, met een gezonde eetlust en geen broedende meeuwen had ik hier op mijn rug in de zon gelegen. Dat kun je ook thuis doen. Nu was het een hele kluif. Dat is ook meteen mijn antwoord op je vraag van gisteren: of ik mij weleens verveelde? Ik zal mijn hele leven aan deze zeven dagen terugdenken.

Vraag: Heb je nog een speciaal avontuur beleefd?

Antwoord: Gistermiddag om halfzes vond ik een fles aan het strand met een brief erin. Ik dacht: Ha, een schipbreukeling, maar dat was niet zo. Een Duits meisje zoekt een briefvriend of een briefvriendin, in de leeftijd van 12 tot 14 jaar. Ze is zelf 12. Ze heet *Friedel Schulz* en hier is haar adres: *Tonhallenstrasse 10, Duisburg.* Ze houdt van sport, televisie en geschiedenis.

Ik heb om zes uur dit idee van korte vragen en antwoorden aan Willem voorgelegd, maar daar hoorde ik voor het eerst de stem van Gé Gouwswaard, die dit 'onnatuurlijk' vond. Ik begrijp dit wel niet, maar dit valt onder zijn competentie en ik laat die structuur dus vallen. Ik zal, zoals hij dat wil, in grotere 'blokken' praten. Ieder zijn vak en die twee *zijn* radiomensen. Ik kan dit echter onmogelijk in de heksenketel waar ik in zit voorbereiden. Wél korte zinnen, geen lange be-

schouwingen. Ik moet die maar op dat benauwde plee-
tje improviseren. Volgende punten niet vergeten.
1. Voor het eerst zie je de natuur, vóór die door men-
senhanden is aangeraakt. Alles is zuiver, vooral de
lucht. Ook het land. Adam. Nee, vóór Adam: Genesis.
Alleen langs de rand allerlei afval. Van de flessen is
het etiket afgeweekt. Maar op sommige bussen staan
de aanwijzingen in het ijzer gedrukt. Het is merkwaardig met hoeveel interesse je die leest. Het is je enige
lectuur. De tekst 'Na gebruik uitspoelen' of 'Voor deze
bus is geen statiegeld verschuldigd' bekijk ik als een
boodschap uit de andere wereld. En dat *is* het toch
ook? Alleen, die boodschappen vallen wel wat tegen.
Ik heb nu al tien keer gelezen dat deze super-crème de
beste is, en ik zou weleens wat stevigers willen horen.
Ik denk soms: eigenlijk hebben ze niet veel te vertellen daar aan de overkant.
2. Baard.
3. Pijpje Schotse tabak.
4. Friedel Schulz.
5. Iemand *zien* en dan ermee praten.

Het is over achten en de avond begint al weer te vallen. Ik kan wéér niet buiten zitten, zoals in het begin
en moet mijn pijpje binnen roken. De vloer van de tent
is zeer ongelijk en ik zit altijd scheef in die stoel. Omdat het grondzeil aan de tent is vastgemaakt kan ik dat
niet verhelpen. Het is hier een verschrikkelijke rotzooi, maar ik laat het maar zo. Alleen als overmorgen
om halfzes Jan Wolkers hier komt zal alles er als een
winkeltje uitzien. Om zeven uur vertrek ik en ik kom
om halfnegen in de haven van Noordpolderzijl aan. Ik
heb me al die tijd niet gewassen, omdat ik alleen de
tent *in-* en *uit*loop en nooit iets opzoek, uit vrees dat ik

het dan ook vinden zal en de puinhoop nog groter wordt. Er staan wel tien dozen om me heen, die ik nooit opengemaakt heb en waarvan ik geen idee heb wat erin zit. Jammer van al die moeite, maar ik ben er ook helemaal niet nieuwsgierig naar. Een mens heeft eigenlijk maar weinig nodig. Het volgende alleen heb ik echt gebruikt: 1. leunstoel, 2. bed, 3. gewone stoel, 4. de tent, 5. theeketel, thee en kopje, 6. koffie (in het begin), 7. wat sinaasappelen, 8. pijp met één tinnetje (Schotse) tabak, 9. één doos met eten van de zeven die ik heb meegekregen en die ene is nog steeds voor $\frac{1}{4}$ vol, 10. bier, 11. kaarsen.

Dit is alles wat ik gebruikt heb. Ik schrijf weer, net als gisteravond, met twee *kaarsen* links en rechts. Dat is rustig licht en ik heb een heel pak.

De vraag die zojuist in me opkwam, namelijk of ik een schijtlaars ben, daarop meen ik in alle rust nee te mogen zeggen. Ik heb het natuurlijk wél overwogen, óók in alle rust, want ik reken bangheid onder de eigenschappen waaraan een mens niets kan doen. Als ik dit zou bekennen, gaf ik dus iets toe waarover ik helemaal geen gevoel van schuld zou hebben. Ik meen echter 'nee', omdat 1. ik hier anders helemaal niet zou zitten, 2. het had opgegeven, 3. mijn moeilijkheden hier niet uit vrees voortkomen, maar uit de omstandigheden en uit mijn gezondheid.

Een uitzondering is het telkens schrikken 's nachts. Ik moet nu proberen te gaan slapen met de *vaste* zekerheid dat hier geen 'meepakkers' zijn. Dit eiland is namelijk onbewoond. Fini.

Tien uur. Vannacht weer slecht geslapen. Door lawaai van de tent, want er stond harde wind. Tegen de ochtend sliep ik vast in, maar werd om acht uur opgeschrikt door twee straaljagers, die in een rechte lijn een duikvlucht maakten naar mijn tent en dat toen nog *twee* keer herhaalden. Het lawaai was oorverdovend. Voel mij koud en rillerig. Buiten regent het, maar niet veel. Liet de oproep van negen uur lopen. Voor het eerst heb ik ontbeten, dwz. drie crackers met jam gegeten. Nu nog thee zetten en dat is inmiddels gebeurd. Voel me wat beter.
Vandaag moet ik deze meststal uitruimen, maar het is ook de laatste dag. De tent heeft het in deze storm, die nu al drie (of vier?) dagen duurt, uitstekend gehouden. Toestel kustwacht cirkelt laag. Gedropt wordt er een pak met een lang groen-wit zijden lint. Inhoud:

1. Boekje over wat er in de provincie Groningen allemaal te zien is. Boeiende, maar vergeefse lectuur.
2. Heupflacon dubbele graanjenever.
   Voet van het glaasje gebroken.
3. Heupflacon Groninger fladderak (dit alles van de Groningse vvv).
4. Van bakker Venema uit het dorpje Feerwerd, gemeente Ezinge, is naar beneden gekomen een papieren zak en daarin zaten ... bruidstaartjes: 'In eer en geweten, die mag je ook zonder bruid eten.'

Halfeen. De laatste tien minuten voor de radio zijn gesproken. Ik stond in een wolk van stuifzand te praten, maar Willem zei na afloop dat het een goede uitzending is geweest. Ik merk dat ik me van een zware last bevrijd voel nu ik dat niet meer hoef te doen. Ik stond namelijk telkens voor een dilemma en dat was dit. Behalve de eerste dag, toen ik me volkomen gezond voelde, heb ik het *niet* leuk gehad. Als je dit allemaal vertelt (overgeven enz.) dan wordt het gezeur. Verzwijg je het helemaal, dan wordt het onwaarachtig. Ik heb de weg ertussen gekozen, maar dat is koorddansen. Er is nog dit: ik beschouw een anonieme menigte, mensen die bovendien intussen de was doen, biljarten of kaarten, *niet* als de ontvanger van intieme mededelingen. En dit om twee redenen: *zij* vragen er niet om en *ik* heb er geen behoefte aan. Ik zie hierin geen hooghartigheid; ik ben *zelf* iemand uit die menigte. En dit is de derde reden. Want laten we de zaak toch in zijn ware proporties zien: je staat, hoewel eenzaam, binnen de lichtkegel van een fel zoeklicht als een hevig verlicht poppetje en dit is buiten alle verhouding tot het belang van dit poppetje en tot wat het meemaakt. Je dient dan een zekere terughoudendheid te betrachten en niet zelf mee te doen met het lawaai.

Ik denk dat Jan Wolkers beter dan ik tegen dit soort leven bestand is. Hij staat dichter bij de 'natuur' en zal niet, als ik, de wat ridicule aanblik opleveren van een meneer die langs het strand wandelt. Dat hij vis uit de zee zal ophalen is uitgesloten. Hij laat de zeven pakketten verzegelen en zal ze alle zeven opeten, ik heb ze alle zeven opengelaten en er maar één gebruikt. Dat is precies het omgekeerde van wat ik zelf verwacht had.

Ja, en *hoe* je het ook bekijkt en wát ik er ook van terecht gebracht heb, ik ben toch maar de eerste Nederlander die binnen het grondgebied van onze geëerbiedigde landsvrouwe zeven dagen en zeven nachten op een eiland moederziel alleen heeft doorgebracht. Ik ben ook 148 uur lang de meest *noordelijke* Nederlander geweest.

Ik ben er nu al van overtuigd dat als ik een tijdje terug ben, ik zal denken: had ik dát nou maar gedaan, toén was er die unieke kans toe en dat ik me dan voor mijn hoofd zal slaan, maar ik kan niet bedenken wát dat dan is. Ook ben ik er zeker van dat er soms een sterk *heimwee* naar dit eiland over me zal komen, hoe blij ik nu ook ben dat het bijna voorbij is. Ik had dat ook met Curaçao indertijd en als je er dan terugkomt is het niet waar. Dort wo du nicht bist, dort ist das Glück.

Drie uur lang opgeruimd, geveegd, gepoetst en afgewassen. Jan Wolkers vindt de tent in dezelfde staat als waarin ik hem gevonden heb. Nú pas heb ik ontdekt wát er allemaal is: een overvloed! Van de aanwezige proviand heb ik één, hoogstens twee procent gegeten. De vaatdoeken heb ik nimmer gebruikt. Idem de handdoeken. Ik ben behalve een middeleeuwse anachoreet en boeteling ook een viezerik geweest. Wat ik van dit alles gebruikt heb, kan in een *kleine* boodschappentas makkelijk geborgen worden.

Laatste wandeling over het strand, in de richting van de ondergaande zon. Ik zal hier wel nooit meer terugkomen en heb lang om me heen gekeken. Toen het duin over en aan de Noordzee gestaan. Links zonk de zon weg. In de hevige wind naar het hokje.

Negen uur vijfentwintig. Laatste gesprek met Willem. Hij kon er moeilijk een einde aan maken en dat heb ik begrepen en gewaardeerd. Nog één nacht en ik keer terug in een leven dat ik meer dan vroeger waarderen zal. Ik hoor dat de televisie meekomt. Dit vind ik bijzonder onaangenaam, maar ik kan dat hier niet tegenhouden. Dergelijke momenten zijn privé.

Ik heb de wekker gezet op vier uur, dat is niet veel vroeger dan ik anders wakker word. Ik pak dan dekens en luchtbed in, laatste inspectie van de tent (Jan Wolkers schijnt erg netjes te zijn en daar moet rekening mee gehouden worden, want het is vanaf halfzes *zijn* huis en niet meer het mijne en dan ga ik met mijn twee koffertjes én het klapstoeltje naar de plek waar de roeiboot van het schip aan land komt. Ja, lieslaarzen ook mee. Daar wacht ik dan rustig op mijn stoeltje tot halfzes, want de boot, die om vier uur uit Noordpolderzijl vertrekt, doet er ongeveer anderhalf uur over. Verlang naar morgen.

Ik heb aan dit dagboek, al bevat het in hoofdzaak feitelijkheden, veel steun gehad. Er valt nu niets meer te beredderen. Slapen.

Halfvier 's ochtends. Dit zijn mijn laatste uren op het eiland. Bij het licht van de zaklantaren mijn spullen ingepakt en de twee koffers gesjouwd naar de plaats waar ik vermoed dat de roeiboot zal aankomen. Het is nu licht, maar het regent. Schuil in het hokje van de radio en schrijf daar de laatste regels. Ik vind dat ik er niet veel van terecht heb gebracht en dit te weten is voor mij de waarde van dit avontuur. Niet door wat lukt leer je je begrenzingen kennen. Ik had op nooit vermoede extases gehoopt en kreeg voornamelijk verdriet. Ik voel mij echter niet terneergeslagen, 1. omdat dadelijk die boot komt, 2. omdat ik het in elk geval heb volgehouden, 3. omdat ik meen iets meer van mezelf te weten dan daarvóór.

Het is nu halfzes en ik zie geen boot. De zee is woelig, er staat een harde wind. Kijker gehaald. Geen spoor.

Kwart voor zes. Niets.

Weer later. Ik moet mij voorbereiden op de mogelijkheid dat de schipper het niet verantwoord vindt. Zo'n beslissing is natuurlijk juist, maar het kost me erg veel moeite die rustig te aanvaarden.
Goed, het wordt dan morgenochtend. Ik voel me als die marathonloper, die in het stadion nog één ronde moest lopen en daar niet op gerekend had. De man zakte toen in elkaar. Daarvan is natuurlijk geen sprake, je blijft gewoon een dag wachten, maar je hebt je reserve toch op een bepaalde finish ingesteld.

Ik zie een streepje wit, vlak onder de horizon. Het is de boot.

Hotel de Breedenburg, Warffum.
Elf uur. De eerste, die uit de roeiboot naar me toewaadde, was Willem. Hij was erg ontroerd. Toen Gé Gouwswaard. Toen Pietsie [mevrouw Bomans] en Eva [zijn dochter]. Ik zag dat Eva van me schrok en heb ook niet op een kus aangedrongen. Dat komt allemaal later wel, als die baard is afgeschoren. Oda van Run [vriendinnetje van Eva] was er ook weer. Televisie, radio en journalisten. Jan Wolkers had een fles champagne en twee glazen bij zich. Hij deed het allemaal erg leuk en dat is een hele ontspanning in een situatie die duidelijk om een vluchtheuvel vraagt. Tijdens de overtocht in de stuurhut gebleven en niet één keer achterom gekeken. Willem blies onderweg al zijn stoom in absurditeiten af. Om acht uur vaste wal. Spandoek met 'Welkom, held van de eenzaamheid, in een wereld vol narigheid'. Zelden ben ik het met twee beweringen zo oneens geweest.
In de Breedenburg, radio- en tv-interviews. Daarna ontbijt aan lange tafel met veel mensen. Het trof mij dat alles op tafel klaarstond en dat er niets hoefde klaargemaakt te worden. Het plotseling kunnen praten met iedereen was niet vreemd, daarvoor is een week ook te kort. Wel had ik na een uur erge zin om in een hoekje wat *kranten* te lezen en dat heb ik ook gedaan. Vooral de schaakmatch van Fischer tegen Larsen: 4-0! Om twaalf uur geluisterd naar de eerste uitzending van Jan Wolkers. Dit was uitstekend: geen gezanik en wat ziet die man veel meer dan ik! Als Willem erin slaagt om die grofheden over condooms en dergelijke wat in te tomen, dan krijgen we een week lang

een boeiende informatie over een nog niet-geëxploreerd Waddeneiland.

's Avonds in Hilversum. Van de tocht onderweg wel zeer genoten, vooral van de *bomen*. Om acht uur begon het programma 'zo maar een zomeravond', dat ik nog nooit op de tv gezien had. Ik vroeg of ik mocht binnenkomen als ik aan de beurt was, maar dat ging niet. De heer Stok vroeg een paar dingen, maar nú had ik moeite om mijn gedachten te ordenen met al die mensen opeens om me heen. Ik maakte er ook niet veel van. Alleen over twee dingen ben ik voldaan. 1. Dat ik op de vraag van de heer Stok, of ik tot 'diepere inzichten' was gekomen en zo ja, welke die waren, geantwoord heb dat ik dit de plaats niet vond om daarop in te gaan, waar hij gelukkig vrede mee had en 2. dat ik de fles wijn, die mij door Stok werd aangeboden, doorgaf aan de mensen op de wal, met name *Willem Ruis* en *Gé Gouwswaard*, met vermelding van de steun die ik van hen ondervonden had. Dit alles zonder baard, die meteen die ochtend in Warffum was afgeschoren.

Ik ben nu thuis, zaterdagavond 17 juli. Het is moeilijk te geloven dat ik een week geleden vertrokken ben. Ik kon nog net even in de tuin lopen en alles stond er nog, goedig en trouw. Binnen de boeken en buiten de wind. Ik voelde mij als een deserteur die weer genadig ontvangen wordt. Honger heb ik nog steeds niet. Wel een groot verlangen om morgen, als het licht is, de bloemen en planten, maar vooral de bomen om me heen te zien. Einde en over.

Een week later

Gisteren nog op de Breedenburg in Warffum geweest om die fles wijn aan te bieden aan Willem en Gé en om Jan Wolkers te begroeten. Het was of ik een trommel opendeed met veel oud brood. Het heeft ook wel lang geduurd voor die twee en de rol van Willem moet vrijwel passief geweest zijn. Jan spoelde als een nog steeds niet geëxplodeerde zeemijn aan land. Ook onze gezamenlijke einduitzending beheerste hij volledig: *alles* wat er rondom hem was, *niets* over zichzelf. Ik vroeg hem als een laatste poging wat er 's avonds door hem heenging als het donker werd, maar hij gooide er onmiddellijk een paar zeehonden tegenaan. Ik weet niet of die ontwijking van het kernprobleem, waar het hele experiment eigenlijk om *begonnen is, bewust* wordt toegepast óf dat het probleem (het alleen zijn) gewoon voor hem niet bestaat. Ik vind dit laatste wel heel onwaarschijnlijk en vermoed een afweermechanisme, dat hij echter *briljant* in werking stelt. Ik was veel minder boeiend, maar *zei* eigenlijk *meer*. Hoe dan ook, twee grotere contrasten waren niet denkbaar en daar zat iets aardigs in.